ごちゃまぜで社会は変えられる

地域づくりとビジネスの話

一般社団法人えんがお 濱野将行

ENGAO

Hamano Masayuki

クリエイツかもがわ
CREATES KAMOGAWA

はじめに 「景色のきれいな山」に登りたい

「一週間に一回、電話でいいから話し相手になってほしい」

これは、僕がある地域でおばあちゃんから聞いた一言です。当時、「高齢者の孤立」という課題になんとなく興味があった僕は、その一言に衝撃を受けました。

そして調べていくと、日本の独居高齢者の10％以上が会話頻度一週間に一回以下。高齢者のうち「つながりがない」と答える人は全体の30％、という国勢調査（2018年）

の数字を知りました。日本社会における「高齢者の孤立」は、とても深刻でした。この時ふと思ったのは、「そりゃ、若者は未来に希望を抱かないわ」です。当時、よくこんなデータが話題になっていました。

「我が国と諸外国の若者の意識に対する調査」(2013年、内閣府)では、日本の若者(満13歳から満29歳まで)のうち、「将来に希望がある」と答えた人は61・6%。先進7か国の比較で見ると、アメリカとスウェーデンは「希望がある」が9割以上、英国、韓国、フランス、ドイツも8割以上を占めていて、日本が最も低い割合である。

簡単に言うと、先進国で「日本の若者が、一番将来に希望を抱いていないよ」という話です。これが当時は結構いろいろな記事に上がっていたのですが、高齢者の孤立を知った時に、「そりゃそうだなー」と思うわけです。だって、一生懸命に生きても、結局最期はひとりぼっち。話し相手もいなく、寂しく終わってしまう社会です。

おじいちゃん、おばあちゃんが幸せじゃない、孤立している社会で生きることは、「景色のきれいじゃない山に登るようなもの」だと思います。大変なことやつらいことを乗り越えて進んでいっても、進んだ先、登った先の景色は別にきれいじゃない。そんな山だったら、みなさんは一生懸命登ろうと思いますか？　つらいことを乗り越えられますかね？

「もういいかな」となってしまうかもしれませんよね。

2020年は、中高生の自殺者数が過去最高になってしまいました。僕はこの、悲しすぎる「社会の結果」と「高齢者の孤立」が無関係だとは思っていません。

「高齢者が孤立している社会、幸せじゃない社会では、若者は未来に希望なんて抱けない」

「一生懸命生きた人の、大切な締めくくりの期間が孤立して終わる。そんな社会は間違ってる」

そんな思いと、あこがれる大人たちとの出会いに刺激され、25歳の時に栃木県大田原市で始めたのが「一般社団法人えんがお」でした。

孤立の現場

それから、地域でいろいろな現場を見てきました。人とのつながりが希薄な高齢者には、話し相手がいません。なので、当然何か困っても頼る相手がいません。

だから、リモコンの電池が切れても買いに行けない。ずっと同じチャンネルばかり見ている。寒くて布団を出したくても出せない。だから「寒いけどがまんしてた」と言う。壁にかかったカレンダーは、半年前に遠方の家族が来た時にめくったまま。トイレの電球は、切れて暗いまま。部屋の時計は電池が切れて止まったまま。

よく言われるのは「もうあきらめていた」「もう慣れた」です。悔しいですよね。

そんな人のお家に学生も連れて訪問していたら、いつの間にか「一緒にやりたい！」という学生が、年間延べ1000人以上も集まるようになっていました。それから、とにかく「目の前のニーズ」に応え続けました。すると、年間4000人以上が集まる地域サロンができ、若者向けシェアハウスができ、地域居酒屋、障がい者向けグループホームができ……。今では徒歩2分圏内に6軒の空き家を活用しています。要するに、よくわからないことになっていました。

時々あった同級生に「久しぶり〜！ いま何やってるの？」と聞かれることもあるのですが、こっちが聞きたい。むしろ、何から説明すればいいんですか。

一応それっぽく、「いろいろな世代の力を活かして、高齢者の孤立しない地域づくりをしています」と答えます。でも、そういうことにそんなに興味のない人だと、首を120度くらいにかしげられます。

時々、地域づくりなんかに興味のある人だと、目を光らせてくれて「え！ なにそれ！　詳しく聞かせてほしい！！」みたいなパターンもあるんですが、それはそれでちょっと暑苦しい。

「今」と向き合う人へ

今、この本を手に取っているあなたは、おそらく地域づくりや多世代交流に興味があるか、何かやりたいことがあるけど、うまく動き出せないか、作業療法士などの専門職で地域に出ようとしているか、暇なのか、そんな人たちだと思います。

あと、ふだん僕と関わっている学生さんやお知り合いの方が、本当は大して興味ないけれど申し訳程度に買って読んでるか、ですね。そんなみなさんは、読まずとも「相変わらずふざけてましたね」って言えば、読んだ感想になります。

この本を手に取ってくださるみなさんを想像して思うことは、本当にこんなゆるい文章でいいのかな、です。こういうタイプの文章苦手だわー、という人は、ごめんなさい。少し大きめの文鎮か何かにしてください。

この本を読んでくださる方は、基本的には何か「やりたいこと」や「変えたいこと」があるのだと思います。それがぼんやりでも、すでにやっているとしても、「今のままでいい」とは思っていない人だと思います。そんなあなたに、たくさん動いて、たくさん失敗してきた僕なりに、「何か役に立てたらいいな」というのが、本音です。なので思いのほか「地域づくりノウハウ」について語っています。

「今のままでいいと思わない」ことは、時折つらいですよね。今を受け入れてしまったほうが楽ですよね。でも、あなたにはそれができない。変えようとする気持ちを抑えられない。抑えてもまた湧き出て、現状にもやもやしてしまう人です。不器用で純粋で、とても素敵です。

僕は、行動することだけがすべてだとは思っていません。人には「タイミング」があるからです。あるいは「行動」の定義の中に、行動している人を応援したり、想いをもったりすることも含まれると思っています。総じて、現状に疑問を抱いたり、もやもやしたりしてしまう人を、僕はかっこいいと思います。そんな仲間に、エールを送る気持ちを込めてお話します。

大丈夫です。見たい景色は、必ず見られます。自分でつくることもできるし、それをつくる誰かを応援する形でもつくることができます。そして、必ず全部うまくいきます。部分的にはつまずいても、周りから責められても、苦しくて全部が嫌になる時があっても。それはうまくいくために起きる布石です。必ず、いい方向に動いていきます。

何をすればいいのか。何を考えればいいのか。それを一緒に考えましょう。そのために、あなたに少しでも役に立つように、精一杯お話しさせていただきます。

2021年10月

一般社団法人えんがお代表理事　濱野 将行

CONTENTS

Part 3 地域活動の「発信」について

若者へのメッセージ

Part 4 人を巻き込む

Part 5 これからの地域づくり

プロローグ

Prologue

目指すのは、ごちゃまぜ(全員参加型)のまちづくり

――一般社団法人えんがおについて

01

濱野将行について

はじめまして。一般社団法人えんがおの代表をしています、濱野将行と申します。書いている今は29歳です。なんとか20代と言いたい年頃です。

えんがおは、現在3人のメインスタッフが運営しています。僕が25歳の時に立ち上げ、そこからずっとついてきてくれている信頼できる後輩の二人が仲間です。ただ、クセも最高に強い二人です。興味ができた方は、ぜひ会いにきてください。クセは強いぶん10分くらいでお腹いっぱいにはなりますが、とてもいい二人です。

僕が、いわゆる「社会貢献活動」に進み始めたきっかけは、大学1年生の2011年3月に起きた、東日本大震災でした。当時は、作業療法士というリハビリの資格を取るために医療系の大学に通っていました。大学が栃木県の北に位置する大田原市という所であったため、当時東北からたくさんの方が避難してきていました。3月13日から「とにかく人手が必要」との話を受け、避難所にお手伝いに行きました。掃除・炊き出し・傾聴。そんな活動のなか、避難してきたとあるおばあちゃんが言いました。

「家が流されちゃって」

僕は固まりました。何も言えませ

法人スタッフ3名（左から小林千恵、濱野将行、門間大輝）

んでした。うなずくこともできなかった。うなずくことすら失礼な気もして、固まりました。何も言わずにその場を去り、トイレにこもりました。自分はなんて無力なんだと、ただただ立ち尽くしました。何かできるつもりで行ったら、うなずくこともできない。自分は情けなくて弱い、無力な人間なんだと思い知りました。泣いた気もするし、がまんした気もします。

その日の終わり。支援チームのミーティングの後、僕は先生に半泣きで「福島に行ってきます」と言いに行きました。「現状を見ずに、支援なんてできない!」と。今思えば、とても若いですね。当時はそれくらい衝撃だったんです。自分の情けなさが。結局、先生と、学生リーダーをしていた南相馬出身の先輩が丁寧に想いを聞いてくれ、止めてくれて、僕が福島に行くのはもう少し先になりました。

それから10年。悔しくて、今も復興支援を細々と続けています。大学時代は、復興支援をしながら「もっといろんな世界を見て自分が成長しないと話にならない」

と思い、海外ボランティアに行ったりもしました。あの衝撃と悔しさが、ヘタレで情けなくて弱い僕に、行動力をくれました。

復興支援の時に出会った人が、栃木県の若者支援団体「NPO法人とちぎユースサポーターズネットワーク」の代表理事、岩井俊宗さんと事務局長の古河大輔さんです。当時、こんなかっこいい大人がいるのか、と本当に衝撃でした。

「社会課題を自分たちで解決する。それを仕事にする。そして、そういう若者を増やしていく」

「より良い社会に、自分たちの手で変えていくんだ」

他の大人が言わないようなきれいな言葉を、恥ずかしげもなくまっすぐ語る姿に引き込まれました。それからずっと、僕は二人の背中を追いかけています。なので、僕も所どころやたらかっこいいセリフを言いたがりますが、この二人のせいです。

中二病ではなく、「とちぎユース病」です。この本のタイトルがちょっと中二病の匂いがするのも、そのためです。

兎にも角にも、あこがれる大人との出会いで、僕は作業療法士を目指しながら、もう一方で**「社会課題と向き合える大人になること」**が夢になりました。

大学卒業後、作業療法士になり、高齢者施設で3年と少し勤務しました。そして、「高齢者の孤立」の問題に直面します。これは、誰かが変えなければいけないのではないか、と思いました。思いついた

「NPO法人とちぎユースサポーターズネットワーク」の
代表理事 岩井俊宗さん(右)と事務局長 古河大輔さん(左)

ことをいろんな人に相談して、試行錯誤したり、思考が錯誤したりしました。その時間が、なんだか楽しかったんです。いろんな人を紹介してもらって、会いに行って話を聞かせてもらいました。世の中には、栃木県にはまだまだ、こんなにかっこいい大人がたくさんいるのだと、何度もシビレました。

村井クリニック院長の村井邦彦さん、認定NPO法人うりずんの高橋昭彦さん、訪問看護ステーションあいの横山孝子さん、合同会社Ｃｒｅｗの伊川夢起さん。挙げたらキリがないですが、とにかく素敵な人たちとの出会いに恵まれました。自分の住む栃木県が、好きになりました。

彼らの共通点は**「現状を変えようと動き続けている」**こと。それがたまらなくかっこよかった。そんな人たちにあこがれながら、僕の目の前には「変えなければいけない課題」がある。それが「高齢者の孤立」でした。それから、あーでもない、こーでもないをずっと悩んだ末「一般社団法人えんがお」を設立し、高齢者が孤立しない社会をつくるために動き出しました。

当時の職場の先輩方にも恵まれていました。休みが多くても嫌な顔一つなく応援してくれました。僕はあんまり仕事ができる人間ではなかったので、いてもいなくても変わらなかったのかもしれません。かもしれませんというか、たぶんそうだと思います。ちなみに、仕事はそんなにできませんでしたが、休憩所のお菓子は人一倍食べていました。いますよね、こういう人。立ち上げて最初の一年はダブルワークを認めてもらって、週に4日は作業療法士をやりながら、残りの3日でえんがおの立ち上げ期を運営しました。幸運にも、一年で裕福ではないけどご飯は食べていけるくらいにはなったので、一年後に施設を退職し、一般社団法人えんがおに常勤で活動し始めました。

02

一般社団法人えんがおについて

えんがおは、**「誰もが人とのつながりを感じられる社会」**を目指して、「高齢者の孤立」を中心にさまざまな社会課題と向き合っています。栃木県の大田原市というところが活動地域です。常勤スタッフは3人ですが、一緒に「運営からやりたい！」と言って積極的に関わってくれる学生「えんがおサポーター」が20人います。そのほか、100名を超える個人会員の方や地域の方々、企業さんに支えられて成り立っている法人です。

大小いくつかの事業をしていますが、徒歩2

栃木県大田原市
Otawara City, Tochigi

人　口：73,284人
世帯数：27,508世帯
総面積：354.12㎢
高齢化率：30.22%

参照：大田原市観光協会HP（2021年）

一般社団法人
えんがお
List of Project

生活支援
制度対象外の
生活サポート

えんがおベンチ
まちにベンチを
増やし、外出し
やすい街へ

地域サロン
多世代の集まる
拠点

災害支援
復興支援、防災

グループホーム
知的・精神障がい者
向け。地域開放型

えんがおゼミ
学生会員による
課題別のとりくみ
学生の活動支援

宿泊所
夜通し語れる
無料宿泊所。

空き家活用
地域の空き家・
空き店舗の活応

地域居酒屋
週に一回皆でご飯。
空き日はシェア
店舗。

and Free
求められていて
やりたければ
すべてやる

分圏内に6軒の空き家を活用していて、大きく分けると10個の事業があります。その中でも、根幹は高齢者向けの「訪問型生活支援事業」です。高齢者向け便利屋サービスだと思ってもらえればいいと思います。

人とのつながりが希薄な高齢者は、生活で困っても頼る相手がいません。あるいは、制度の対象外になってしまう人や、制度対象外の困りごとを抱えている人もいます。制度には、平等にするための「線引き」があります。

例えば、高齢者の生活のお手伝いで使える制度は「生活空間のみ」が基本です。体の弱った方が、普段生活していない部屋のお掃除をしたい時。数か月前に亡くなった旦那さんの遺品の整理を、やっと気持ちの整理がついて「やりたい」と思った時。年末やお盆前に、汚れた窓ガラスを拭いてほしいと思った時。制度では手伝ってもらえないんです。近くに家族がいたり、頼れる人がいればいいですが、そういった人がいないケースも増えています。すると、「がまんするしかない」という状況になります。そうした時に私たちが呼ばれ、生活のお手伝いを「有償で」行います。まずは、この辺の「高齢者の孤立の現状」についてお話ししますね。

03

家族と同居しているから、孤立している
——生活支援事業について

生活支援には大切にしているポイントが二つあります。一つは、**学生・若者を連れていくこと**です。作業の傍ら、学生が話を聞いたり、時にはおばあちゃんに悩みを聞いてもらったりします。世代を超えた交流は、たくさんのメリットがあります。

もう一つが、出会ったおじいちゃん、おばあちゃんを**「地域のプレイヤーに変える」**ことです。話していく中で、その人の強みや昔からやっていた趣味などを聞き、それを活かしてもらいます。

例えば、電球交換の依頼で出会ったおばあちゃんは、今は地域サロンのお掃除当番になってくれています。料理が得意だったら、地域のイベントで料理をしてもらう。支援する、されるの関係性ではなく、いかに地域のプレイヤーにできるかを大切にしています。支援する、されるの関係性だけでは、ワクワクしないんです。少しイメージが湧きやすいように、事例でお話しします。

まもなく90歳になるおばあちゃんです。お掃除に関してとてもこだわりがあって、超完璧主義の方。なのだけど、もう手足の力が弱ってしまって、家の中でゆっくりゆっくり動いてトイレに行くことと、自分の分のご飯をつくることがなんとかできるくらいです。デイサービスには行っていません。性格的に、あまりそういった場所が合う方ではないかもしれません。

お家にお邪魔すると、いつも横になって天井を見ています。時々テレビがかかってることもあります。「こんにちは～！　何してるの～？・？・」と私たちが声をかけると「やることないからひっくり返ってた」と答えます。訪問してすぐは、ネガティブな言動が多いですが、そこは僕らも腕の見せ所。いろいろお話をしていくうちに、少しずつ笑顔が見えます。15分後くらいには「（濱野は）いつ結婚するの？　モテないから結婚できないんだね。かわいそうにね」と笑い、僕が仕返しに毛布で顔を包みます。「こういうことするんだから。そりゃモテないわ」と言い返されます。まったくもって余計なお世話です。

このおばあちゃんは、実は同居しているお子さんがいます。なので、「独居高齢者」には当てはまりません。つまり、独居高齢者向けの制度が使えないんですね。だけど、そのお子さんはほとんど家にはいません。住民票上はいても、「いない」のです。会話もほとんどありません。こういったケースは、決して少なくありません。一説では、**「同居家族がいる高齢者の孤立度は、独居高齢者よりも高い」**という話もあるほどです。

同居家族がお子さんの場合、たいてい働いているので、高齢者は日中一人で過ごします。朝早く出て、夜遅く帰ってくる方の場合、会話はほぼできません。関係性が良ければ、週末などは一緒に過ごすかもしれませんが、そうでもない場合、会話もなく、とても孤立度の高い生活を過ごしていることが多いです。

時と場合にもよりますが、独居高齢者の場合は週に2回くらい、家事支援をするヘルパーさんなどが来ます。彼女の場合は、その制度が使えないんです（細かい理由は他にもあるのですが、割愛します）。これが「制度の狭間」の一つです。

もう一つ紹介すると、高齢者向けの制度サービスは「生活空間」が基本となります。それは、普段生活する部屋の隣の部屋は、支援対象外ということです。例えば、お正月で久しぶりに親戚が来るから窓をきれいにしたくても、普段生活する場ではないところは制度ではきれいにできません。でも、本人は体が弱って窓拭きができない。それを気軽に頼める人もいない。だから、我慢するしかない。本当はお正月前にきれいにしたいけど、我慢する。そういう我慢が積み重なって「生きづらい」になり、「生きていても仕方ない」になるんですね。

こうして制度の狭間と限界の向こう側で孤立している高齢者が、日本にはたくさんいます。

そこで、僕たちが気軽に呼んでもらって、「ちょっとお正月までに窓きれいにしたいんだけど〜」と頼まれます。値段は最初にはっきりわかるようにすることで、安心してもらっています。

チェーン展開している便利屋業者も、もちろんありありです。ただ、「知らない人が来る」「誰が来るかわからない」に不安を感じて頼まない人が多いのも事実です。なのでえんがおは、顔が見えてつながりが深い、**業者と孫の間くらいの距離感**を大切にしています。この気軽な距離感が、生活支援事業で安心感を生むための肝です。

ちなみに、この距離感だからこその面白い話があって、バレンタインデーとかクリスマスはまったく依頼が来ないんです。困っていても、そういう日は気を使って我慢しているらしいです。

04

あやしい儲け話にのってしまうのは、お金がほしいからじゃない

人とのつながりが希薄な高齢者は、場合によっては何日間も人と会えない、話せない生活を過ごしています。イメージしてみてください。一人暮らしのおじいちゃんやおばあちゃん。大きな家で一人ぼっち。体は思うように動かず、誰にも会いに行けない。会いに来てくれる相手もいないから寝っ転がり、天井をみて過ごす。例えば、そんな生活を3日、あるいは4日、あるいは1週間、一人で過ごす。

どうでしょう。すこしだけ、胸が痛みますよね。

人は、ずっと一人でいると嫌なことを考えてしまいます。元気も少しずつ削がれてしまいます。そこに電話がかかってきました。

「株を買えば、今なら確実に儲かります。お話聞いていただけませんか？」

内容なんて、どうでもいいのかもしれません。その人からしたら、会話相手がいることがうれしいんですよね。だから、話を聞いてしまう。言う通りにしてしまうのかもしれません。判断力だって、ずっと一人でいたら衰えていきますから。そうしてお金をもっていかれて、周りから怒られてしまうかも。

さてさて。なんだか暗い話をしてしまいました。あくまでも想像の、そんなパターンもありますよね、というお話です。でも、よく思いませんか？「なんでいまだに、そんな大金をあやしい人に渡す高齢者がいるんだろう。こんなに注意喚起されているのに」って。答えは、意外と単純かもしれません。

では、明るい話をします。すこしイメージの中の時間を戻していただいて、そんな一人ぼっちのおばあちゃんが家で寝っ転がっているシーンです。

ピンポーン。インターホンの音がなります。すぐ後に「こんにちはー!」と学生の明るい声が広い家に響きます。「はいよ」とおばあちゃんの返事が聞こえて「入るねー!　元気ー?　来たよー!!」と、おばあちゃんのいる部屋に、大学生が入っていきます。「何寝っ転がってるの!　起きてー!」学生が起こしにかかります。「することないから寝てたの。もう、早く楽になりたくって」とおばあちゃん。

学生「せっかく久しぶりに来たんだから起きてくださーい!」

おばあちゃん「どうせもうすぐあっちにいくから、寝てようかと思って」

濱野「明日あたりかな？　じゃあ、今日のうちにいっぱい若い人の顔見ておきな」

おばあちゃん「失礼だね。本当にこの代表は。もうすぐって言ったたって、あと10年頑張らなくちゃ」

少しずつ、家の中には笑い声が聞こえ始めます。

そして30分もたった頃。

おばあちゃん「そこ！　そうじゃなくて、もっと奥まで拭かなくちゃ。ホコリがたまってるんだから。掃除機はちゃんと畳の網目に沿って！」

強気なはきはきした声で、学生に掃除のやり方を指導するおばあちゃんがいました。

掃除が終わるとお茶飲みタイム。久しぶりに来た学生の学校の話、恋人ができた話、おばあちゃんが昔はモテたこと。あだ名が「かぼちゃちゃん」だったこと。み

んなが笑いながら話しています。一時的かもしれないけれど、「もう、早く楽になりたくって」と話した寂しげな顔はありません。

この、ワクワクする明るい話。これは、えんがおで私たちが実際に見ている「生活支援事業」での景色です。**「生活のお手伝いをする」という「手段」を用いて、人とのつながりが希薄な高齢者の生活に「つながり」と「会話」をつくる。**それが僕たちの生活支援事業です。このおばあちゃんは、今でこそ体は動かないけど、元は掃除のプロ。学生に掃除を教える指導役になってもらっています。

こんなふうに、孤立高齢者の支援ではなくて、そういった方とつながって、地域のプレイヤーに変えていくのが僕たちえんがおが目指しているものです。

もちろんですが、独居=孤立ではないし、家族と同居して幸せな方もすごくたくさんいます。制度の都合上、住民票での判断になるため、孤立してしまうケースもありますよ、というお話です。

それと、大切なことを付け加えます。

僕のもとには時々「自分の大好きなおじいちゃんおばあちゃんや両親を、孤立させてしまったかもしれない」と後悔するような声も聞かれます。だからえんがおを応援します、と。とてもありがたいです。

でも、言い切れます。そのおじいちゃん、おばあちゃんは、**絶対に不幸ではなかったです**。

僕らが出会うつながりが多くない人だって、遠くで思ってくれているご家族やお孫さんたちがいれば、元気ですよ。時々寂しい時間はあっても、みんな遠くのご家族を思い出して、うれしそうに話してくれます。たまにかかってくる電話が、彼らにどれだけの幸せを与えているか。僕たちは高齢者側から、たくさん見てきました。

「高齢者の孤立」の話をすると、つい「孤立」の側面を強く話してしまいますので、後悔させてしまうかもしれませんが、それだけは伝えさせてください。**遠くても、すぐには会えなくても、「想ってくれている誰かがいる」ことが、心の支えになっているんです。**

だから、後悔したり、自分を責めたりしないでください。そういうあなたがいることで、おじいちゃんやおばあちゃんは幸せでした。きれいごとじゃなくて、現場で見ていると、そうなんです。

そういったつながりがない人を、地域でどう支えるか。あるいは、遠方のご家族の代わりに何ができるか。そんな視点でお話を続けます。

05

「地域サロン」——年間延べ1500人の高齢者と延べ2500人の若者が集う場所

訪問型の生活支援に加えて、日中一人で過ごしている近隣の高齢者のたまり場として、地域サロン「コミュニティハウス　みんなの家」があります。これは、空き店舗を活用して行っています。

その二階には学生向けの勉強場所があって、勉強に来た学生が地域の方々と交流する仕組みです。多世代の交流が「特別」ではなく、「日常」として、子どもや学生と高齢者が関わり合う。そんなコミュニティをつくっています。ここはほぼ毎日解放されていて、年間延べ4000人以上の人が来ています。

おじいちゃんおばあちゃんは、先ほどお話した通り、たとえご家族と同居していても日中一人で過ごす時間が長いです。その人の生活には「行く場所」や「やること」が必要です。そこで、地域の空き店舗を活用して、大田原商工会議所さんと協働でつくったのがこの「みんなの家」です。また、学生が勉強場所に困っている話は、どこの地域でもよくある課題だと思います。僕らはそのニーズを受けて、二階を学生向けの勉強スペースにしました。

世代間交流で大切なのは「それぞれのニーズに合わせる」ことです。高齢者向けのお茶飲み場に、「若い人も遊びにおいでよー!」といっても、来るのは一握りの特殊な若者です。高齢者はお茶飲み場を求めている。若者は、Wi-Fiとコンセントのある勉強場所を求めている。**双方のニーズに個々に答えて、それぞれが交わる仕組みづくり**をしました。

勉強に来た学生は、一階のお茶飲みスペースで受付をします。そこで、おじいちゃん、おばあちゃんに挨拶する。二階で勉強をして、お昼を食べる時はまたお茶飲みスペース。おじいちゃんがお団子をくれたり、おばあちゃんがお茶を入れてくれた

地域サロン「コミュニティハウスみんなの家」と、その日来てたグループホームの利用者さんと地域の人と若者とスタッフと犬と猫

りします。結果、日常的な世代間交流が生まれます。

その一角には、子ども向けの「えほん図書館」があって、時々子連れのパパさんやママさんが来てくれます。犬と猫もいます。この前は、子どものおもちゃを猫が取って遊んで、子どもが大泣きして、おばあちゃんがなぐさめてました。お店番やお掃除当番は、地域のおじいちゃん、おばあちゃんたちがやってくれています。

地域サロンの運営で大切なのは、「役割をつくる」です。お茶飲み場が居場所になるわけではないんです。**人にとっての居場所とは「役割」です。**つまり、来てくれた人を「お客さんにしない」ということですね。地域サロンで、「人が集まらない」「定着しない」などの相談の大半は、**運営側が一生懸命やりすぎて、参加者をお客さんにしてしまっているケース**です。

お掃除当番だから、膝が痛くてもがんばってきます。段ボールをつぶす「役割」

があるので、雨の日でもカッパを着て歩いてきます。だから、元気でいられるんですよね。

最近では、介護予防なんて言葉がよく使われます。その「介護予防」は、運動ばかりによりがちです。だけど本当は、**介護予防＝運動＋「役割」なんです。**後半で詳しくお話しします。

そんなコミュニティハウスを運営しながら生活支援をしていたある日、気がついたらたくさんの

とっちゃん（ほぼ365日えんがおにくる。
段ボール畳み＆濱野のお世話当番）

学生が「活動体験」に来てくれるようになりました。市外の人も県外の人もナイスガイの人も、けっこう遠くからSNSなどを見て来てくれる。だんだん、遠くから来てくれているのに数時間の体験ではもったいない気がして、寝泊りできる場所がほしくなって、おばあちゃんたちに相談してみました。

「この辺に使わせてもらえる家、ないけ?（ないかな、の栃木弁）」「でも、まだどうなるかわからないから、あんまり人には言わなくていいよ」と。

そしたら2時間後には、みんなが知ってて「えんがおで空き家探しているらしい」と噂が広がりました。まだ話を広める気のなかった僕は、あたふたしました。少し経ったある日、「あの家もらえるって!」という話がきて、めでたく二階建ての一軒のお家を「タダで」もらって、コミュニティハウスみんなの家から徒歩30秒の場所に、無料宿泊所「えんがおハウス」ができました。

無料宿泊所「えんがおハウス」

なんで無料かって？　宿泊所を運営するにあたって、無料じゃないと、いろいろ大変なんです。許可とか消防とか。なので完全に寄付で運営しています。いつでも使える「合宿所」に近いですね。

06

地域居酒屋・ソーシャルシェアハウス

生活支援事業が根幹の事業で（収入の根幹は別です）、地域の人が集まるサロンや宿泊所を運営している話をしました。他にも、地域サロンの道路向かいにある空き店舗も借りていて、地域居酒屋（週に一回みんなでご飯）を運営しています。

地方だと、一人暮らしの高齢者で、車の運転が可能な人もよくいます。一見孤立、でも基本的には毎日一人でご飯を食べています。そこで、週に一回くらいみんなでご飯食べましょう。そういうところが苦手な男性の方も、週に一回くらい一緒にお酒飲みましょう。そんな場所です。

空いている日は「シェアキッチン」にして、いろんな人に使ってもらっています。二階の使わない3部屋をレンタルオフィスにして、企業さんに入ってもらっています。なので、関わる人の数がどんどん増えていきます。これからの街づくりのキーワードは「混ぜる」と「シェアする」ですね。**一つの用途にこだわるのではなく、いろいろな「あり方」を混ぜたり、シェアしていくことが重要です。**

こうして活動していくうちに、学生はますます集まってきてくれるようになりました。この辺りから、活動体験の学生が年間延べ1000人くらいに達します。その中には、もっと運営に関わりたい。参加者ではなくて、えんがおのプロジェクトの企画から一緒にやりたい、というような素敵な学生たちが出てきました。彼らを「えんがおサポーター」として位置づけ、一緒に企画などから運営するようになって、小さな一つのコミュニティのようなものができてきました。すると、自然と出てくるニーズが「シェアハウス」です。別にシェアハウスをやろうとはしていなかったのですが、目の前のニーズに応えていく「ニーズ先行型」の組織なので、そのニーズに応えるべく、空き家を探しました。

前回の失敗（成功）があったので、今度はしっかり

「まだ『内緒』だけどね。この辺りに、使わせてもらえそうな家、ないけ？（栃木弁）」

とおばあちゃんたちに言いました。半日で話は広まり、1か月後、また大きな一軒家を寄付してもらいました。そうしてできたのがソーシャルシェアハウス「えんがお荘」です。安い家賃と、水光熱費などの生活費を折半するので、生活コストが抑えられます。その分、バイトをせずに自分のやりたい活動ができる。そんな魅力があります。

ここまでの道のりが、3年半くらいですね。振り返ると、学生と高齢者を中心に、時々子どもがいたり、悩める社会人の方がいたり、けっこう楽しいコミュニティになっていました。そのコミュニティを見ていながら、僕は日に日に「ごちゃまぜ」の良さに気づいていきました。

いろいろな世代や立場の人がいること。それが、お互いにできないことは助けてもらって、得意なことで支え合うことにつながる。**「誰かの役に立つ」ことで、自分に自信をもち、少しずつ自分が好きになる。**そんな景色を見せてもらったからです。

そうして考えているうちに、世代だけではなくて、障がいの有無にもかかわらない空間を目指すようになりました。そのためには、障がいのある方が気軽に関われる「入り口」が必要になります。かと言って、すでに地域に余っているようなものはつくっても仕方ないので、地域に足りていなくて、僕らにとっても入り口となり得るものを探っていきました。

そうして見えてきたのが、「障がい者向けグループホーム」です。

07

「地域開放型」障がい者向けグループホーム

「障がい者向けグループホーム」は、馴染みのない人も多いと思います。正式名称は「共同生活援助」といいます。簡単に言うと、数人の障がいを抱える方が共同生活をしながら、生活するための能力、例えば料理や金銭管理、服薬管理なんかを学んでいく場所です。18歳以上の障がいを抱えた人が住むことができます。

えんがおでは、比較的自立度の高い精神・知的障害がある方向けの施設にしています。理由はいくつかあるのですが、一番大きいのは「制限の強い施設が多い」という現場の方の意見でした。高齢者施設なんかでもよくあるのですが、リスクを避けるために制限が強くなってしまいがちです。外出する際は必ず職員と一緒でなければいけなかったり、ご飯の時間が決まっていてその時間に食べなければいけなかったり。確かに、利用者さんを守るために、そうしなければいけないこともあります。そうしている施設を批判する意図は一切ありません。

でも、自立度が高い人（その制限が必要ない人）はもっと自由に過ごせてもいいですよね。一人の人の「できる」を奪う必要はないはずです。制限をしないことで施設側はリスクを背負うけれど、それはそれです。**そもそも、リスクを背負わないためにやっているわけではありません。**

もう一つは、障がい者向けグループホームが**地域とほとんど関わっていない問題**です。精神疾患と地域交流というのは、語っても語り尽くせない歴史があります。

障がいを抱えた方が、地域と関われずに分断されてきた歴史です。精神病院に、時には何十年も入院して、退院してからも他の人とはほとんど関わらずに過ごす。それが当たり前になってしまっていたのが、これまでの日本社会でした。

それを打破しようと、病院や施設の中だけではなくて、「地域で暮らす」選択肢としてできたのがグループホームという制度なんです。ただ、現状は施設や精神病院などのすぐ近くにあって、病院や就労支援施設の行き帰りのみ。そんな場所も、実は少なくないんですね。これじゃあもったいないですよね。地域に開いていったり、地域の人と関わる機会をつくったり。そういう一歩一歩が、精神障害などに対する誤解や偏見、「わからない」という怖さをなくしていきます。

もちろん、障がいの種類によっては、限定された安定している環境だからこそ、落ち着いて幸せに過ごせる方々もいます。でも、それは選択肢があった上での話です。今は、その選択肢があまりにも少ないのが現状です。

そんな現状を聞いている時に思ったんです。あ、これ、えんがおの近くにつくれば、地域のみんなで見守って、比較的自由な施設ができるかもしれない。空いた時間は地域サロンに来て、地域の人とお茶飲みしてもいい。地域に解放した施設ができたらおもしろそう！

そうして「地域開放型」のグループホームの立ち上げに至りました。そこからは、いつも通り周りの人に助けてもらいながら、4か月後に「障害支援事業所」を開業し、近所の空き家を活用して、グループホーム「ひととなり」がオープンしました。改修費や準備費で、2020年度の黒字分、約250万円をまるまるこの挑戦のための費用に当てました。どひゃー。その後、グループホーム2棟目もオープンしました。

ただ、ありがたいことに、リスク共存型である程度自由度の高い部分や、地域との交流が多い部分にニーズが多いらしく、すぐに満室になりました。問い合わせも、いまだにたくさんいただいております。それだけ、障がいを抱えた方が「地域で暮らす」ことに対するニーズがたくさんあるんですね。

これらすべての事業を徒歩2分圏内で行っています。なので、グループホームの利用者さんが地域サロンでお茶飲みをして、そこにいるおじいちゃん、おばあちゃんや勉強に来た学生と仲良くなる。遊びに来た子連れのパパさんが一息ついて、おばあちゃんと子どもが遊んで。自然の中で、それぞれの日常が重なっていく。

目指しているのは**全員参加型、「ごちゃまぜ」のまちづくり**です。子どもから高齢者まで、そして、障がいの有無にかかわらず、誰も分断されず、いろいろな人が日常的に関わり合う。それが普通の地域のコミュニティの中にある。そんな景色を目指しています。

地域のみんなで食事会。子どもも大人もおじいちゃんもおばあちゃんも障がいがある人も認知症の人も、みんなごちゃまぜ

Part 1

関係人口の増やし方

「オセロの角理論」と「相談」

僕は、大学4年生の頃、一般社団法人えんがおを立ち上げる前に「世代間交流プロジェクトチーム　つむぎ」という団体で活動していました。この頃はビジネスなんて一切考えていなくて、ただ、東日本大震災の時に何もできなかった自分が悔しくて、大学生のうちにたくさんいろいろな活動しよう、と思っていました。その時に捉えた地域課題は、大学生が「通っている地域と全然関わらないこと」でした。

そこで、「学生と地域をつなげる」なんてコンセプトで始めたのが「つむぎ」です。後輩の大学生と4人で立ち上げたグループでした。その時は、地域の人たちとの距離を頑張って詰めていました。そのほうがいいと思ったし、そうしなければいけないと思った。

ただ、これは経験しなければわからないことかもしれませんが、距離が近いほど、お伺いを立てたり、いろんな方面の人の顔を立てなければならないことが多くありました。結果、距離を縮めすぎることで身動きが取れなくなり、本来目指していた動きができなかったのです。あるいは、たくさんの時間がかかってしまったんです。もちろん、当時関わってくれていた方々が悪いなどという意味ではなく、距離が近すぎて、相乗効果を生むような関係性ができなかったんですね。この失敗から学んだことは、地域づくり団体として**「地域との距離感が非常に重要である」**ということです。

距離を縮めすぎてしまうと、外部としての目線も失います。日本の地方に今必要なのは、外部の視点です。外からどう見えるか。外の人からしたら、それはいいことなのか悪いことなのか。伝統は大切だけど、他の人が関わりにくく感じてしまう伝統や習慣はないか。それを見ることのできる距離を保つこと。**仲間ではあるけれど、「身内」ではない**。地域にとって、そんな距離感の団体でいることが重要です。僕らもそうでしたし、地域に入る時に一生懸命内側に入りすぎて身動き取れなくなってしまった、というような相談もよくあります。

でも、地域と距離を適度に取りながら必要なところを押さえて、いい関係性を築いていくって、言うほど簡単ではないですよね。そこで、「オセロの角理論」について説明します。これは、一時オセロにハマっていた僕が、オセロって先に角取った方が有利だな、と気づいた理論です。**オセロって、角取っちゃえば、中盤で不利になっても結構巻き返せる**んですよね。

いや、そんなことは、それなりにオセロをやったことのある人ならみんな知ってるんですよ。今回お話ししたいのは、地域づくりでもそれが当てはまりますよ、という話です。あるいは、会社などの組織でもそうですね。「オセロの角理論」は、そんな意味でつくった僕の造語です。

えんがおは、地元で影響力のある方々や企業の代表の方、行政の方など、いろいろな立場の方々に応援してもらっています。これは僕らがすごいわけではなくて、「栃木県大田原市」という地域の力だと思います。そういった人たちに助けられて物事が進んでいっている自分たちの様子を、改めて分析した時にわかったことがこのお話です。

「オセロの角ポジションの人は誰か」
角野卓造さんを探す物語

それぞれのコミュニティには「オセロの角」ポジションの人がいます。もちろん、人には上下なんてないし、みんなそれぞれ大切です。でも、コミュニティや組織の中で何かしたい、と思った時に**「押さえておくと進みやすい人」**が必ずいます。「この人が言うなら仕方ないか」となる人。いわゆる、その**コミュニティで影響力のある人**。

これが、僕が言う「オセロの角」ポジションの人です。

何かを始める時ややりたいことがある時には、意図的にこの「オセロの角ポジションの人」を巻き込んでおくことが大切です。特に目新しいことをやるには、10人が10人賛成することはほぼないです。誰かが「事故でもあったらどうするの?」「○○になったらどうするの?」といって止まってしまうこともしばしばあるでしょう(その意見が悪いとはまったく思いません)。

オセロで言ったら、自分が目指す色が白だとして、数人は黒になりますよね。それで、その時に角(影響力のある人)が白でいた方が話が通りやすいですよね。これは話で聞くとすごく当たり前に聞こえるかもしれませんが、これを逆算してスタート時から意識することは少ないと思います。

だからこそ、何か始める時、変えたい時には最初に意識してください。自分のやりたいことにとって角のポジションは誰か。その人はどんな人で、何を望んでいるか。どうしたら自分の目指したい方向性を応援してくれるか。地域でも家庭でも会社でも、同じことが言えます。**全員賛同は難しいからこそ、影響力のある角のポジションの人からの応援**は、なるべく早くもらっておくといいです。

「オセロの角理論」について、理屈は伝わったでしょうか。次は、大切な人から「応援される方法」について話します。そしてこれは、どの環境でも使える、人間関係の超大切な話です。

それは、ずばり「相談する」です。**これだけ**。

イメージしてみてください。あなたが何か地域を盛り上げる活動をしたいとします。例えば、地域で「全世代ごちゃまぜの運動会」を開くとしましょう。何から始めますか？

多くの人は、たいていチラシをつくって配ったり、挨拶して回ったりします。「運動会やるのでよろしくお願いしまーす」みたいな感じですね。しかし、これだと相手からしたら「行ってみたいけど勇気が出ない」「応援したいけど、どう応援したらいいかわからない」「そもそも誰？？」が本音だと思います。ここで重要となるのが「相談」です。

まず最初に「相談」してください。必殺のセリフは「運動会をやりたいのですが、どうしたらいいと思いますか？」です。「運動会やりますので、よろしくお願いします！」ではダメなのです。

相談は、相手と自分、二人の話です。でも、報告（「やるのでよろしくお願いしまーす」）は自分→相手。いつまでたっても一人なんです。相手を巻き込むために、応援してもらうために、二人になる必要があります。

あなたが相談される側だとして「運動会をやりたいのですが、どうしたらいいと思いますか?」と聞かれたらなんて答えますか?「どうしたらいいと思いますか?」ですよ。ずるいでしょ。聞き方が。

もうあなたは逃げられません。少なくとも、何か意見を言わなきゃいけない。すると、たいていの人は「じゃあ○○さん紹介するから、その人に相談してごらん」となります。その○○さんって、誰が紹介されると思いますか?

そうです。角の人です。角野卓造さんが紹介されます。角の人にすぐつながっていなくても、地域の誰かに「相談」することで「この人には話を通しておいたほうがいいよ」という人を紹介されるんです。

そしたら満を辞して「紹介されたので来ました!　紹介されたので!!!」と言えます。人は基本的には、自分の知り合いから紹介された人を無下にはできません。そして、そこでも角野卓造さんに、あの必殺ワードを言ってください。

「地域の交流をつくりたくて、運動会をやりたいのですが、どうしたらいいと思いますか？」

角野さんはきっと考えてくれます。自分でできることで、何か応援してくれるかもしれないし、それなら！と別の角野卓造さんを紹介してくれるかもしれません。そうして、いろんな人に相談をしながら「この人に、こうアドバイスされたから、〇〇した」の方程式ができます。そこまでくれば、多少いろんな意見が出ても大丈夫です。だって、角のポジションの人のアドバイスに従ってやっているから。

小声で言いますね。どこにだって「なんでも文句いう星人」は存在します。そういう人に限って、角のポジションの人には逆らいません。「角のポジションの人に相談して動いた」というストーリーを「意図的に」つくってください。そうすれば、「なんでも文句いう星人」の文句は、計画的に減らせます。

えんがおでも、何か始めるときには必ず相談することを心がけています。つい最近面白かったのは、飲み会の席でのこと。商工会議所の方に、「街中にベンチを増やしたい」「ベンチ設置数日本一！のような場所をつくれたら面白いと思う。どう進めたらいいでしょう」という相談をしました。

すると、「市内の大きな通りなら目立つ。えんがおだけではなくて、商工会議所やまちづくり会社も巻き込んでやったほうがいい」と教えてくれました。確かにそれは面白そうかも。と思っていた翌日に電話が。「商工会議所内部と、まちづくり会社に話を通しておいたから、動いて大丈夫だよ」とのこと。仕事早や。

どうでしょう？　もちろん、商工会議所の方が地域のそういった活動を応援する気持ちをもっている方なのは大前提です。出会いに恵まれました。ただ、「ベンチ増やす活動します！　よろしくお願いします！」であった場合と「ベンチを増やしたいです。どういうふうに進めたらいいでしょうか？」の場合の違い。イメージ湧きますでしょうか。

これは、僕の経験上の話でもありますが、たくさんのうまくいっている人の話を聞いていて、気づいた共通点でもあります。

ちなみに、相談したらしたで、確かにいろんな意見が入ってきすぎて大変なこともたまにはあります。昔はそれがめんどくさくなって、一人（チームだけ）で「やりまーす！」みたいな感じでイベントをやった時があるのですが、それはそれは、うまくいきませんでした。とりあえず参加してくれる人はいたけど、何も生んでいない気がしました。自分たちだけでは、何かを変えることはできないみたいです。**全部の意見を聞く必要はないけれど、「相談をする」という行為が大切**なのだと思います。

地域を巻き込む時にも、行政を巻き込む時にも基本的には一緒です。**うまくいく人は、みんな相談するくせがある。**相談された側は無視できない。必殺ワードは「どうしたらいいでしょう?」です。自分でなんとかしようと頑張ってしまう人に限って、意外と一人で終わってしまう。相談すれば2人になる。そして3人になり、4人になる。仲間を増やすには「相談」です。遠慮なく人に頼りましょう。聞きましょう。

一人で頑張ってしまう弱さをすてて、相談できる強さをもつこと。地域づくりだけではなくて、生きやすくなるために、とても大切なことです。

ところで、みなさんに相談があります。こんなマニアックなこと書いてても、本を読む人が増える気配が一切しないのですが、どうしたらいいと思いますか?

関係人口を増やし、地域の課題に「団体戦」で挑む

「相談する」ことで、角のポジションの人と一緒に動いていく、という話でした。さらに、その相談も使いながら「関係人口」を増やす。そして、団体戦で戦う。そんな話をします。

そもそも「関係人口」ってなんやねん、と言いますと。もとは移住などの文脈で使われている言葉です。総務省の「関係人口ポータルサイト」の定義によれば

「関係人口」とは、移住した「定住人口」でもなく、観光に来た「交流人口」でもない、地域や地域の人々と多様に関わる人々のことを指します。地方圏は、人口減少・高齢化により、地域づくりの担い手不足という課題に直面していますが、地域によっては若者を中心に、変化を生み出す人材が地域に入り始めており、「関係人口」と呼ばれる地域外の人材が地域づくりの担い手となることが期待されています。

総務省のこの文章からわかることは一つです。一文が長かったり、一文の情報量が多い文章は、読みづらいということです。特に2行目。僕も、気を、つけます。

総務省さん、いじってごめんなさい。

まあ要するに、時々関わってくれる、いい感じの距離感の人。みたいなことですね。そんなポジションの人がこれから大事だし、そんな人がゆくゆくは「移住者」「定住者」につながる、ってことだと思います。

それで、です。これって、まちづくりの「組織」や「個人」にもすごく当てはまると思いませんか？　組織やチームのスタッフではないけど、ただの「知り合い」や「お友達」でもない。時々関わって応援してくれる人。何かあった時に気にかけてくれる人。

組織にとってのそういったポジションの人を、「その組織の関係人口」としましょう。うまくいっている組織は、ほぼ間違いなくこの「関係人口」が多いです。より簡単に言ってしまうと、「スタッフ以外の関わっている人が多い」ですね。

ＮＰＯ業界においては、その一つが「会員」と呼ばれるものです。年間５０００

円などの会費を払ってその組織を応援しつつ、定期的に情報を受け取る人たち。ちなみにえんがおは、この会員さんがいなかったらすでに消滅しています。あぶねー。会員のみなさま、愛してます。

えんがおを例に言うと、会員さんまで深く関わらなくても、たまに改修作業に参加してくれる学生や社会人の方。何かと気にかけて、飲みに誘ってくれたり、相談に乗ってくれる地域の方。余った食材や物品を寄付してくれる方。お茶飲みに来るおじいちゃん、おばあちゃん。広く言えば、ＳＮＳで見ててくれる人たちなんかも、関係人口に当たるかもしれません。「フォロワー数」ではなく、「ちゃんと見ててくれる人」ですけどね。

明確な「応援者」よりは、もう少し広い意味で捉えていいと思います。「気にかけてくれている人」「興味をもってくれている人」くらいでしょうか。

では、具体的な「関係人口が増えることのメリット」はなんでしょう。**それは、関わる人たちの「特技」や「専門性」**です。関わる人が多いことは、それだけ「引き出し」が増えることでもあります。応援してくれる人の中にＤＩＹが得意な人や一級建築士さんがいれば、空き家の改修は心強いですよね。

つい最近ですが、僕らが「おばあちゃんのおにぎりを商品開発したい！」と思った時にも、関わってくれている人の中で、商品開発に長けている人がいたので、真っ先に相談しました。なので、すごくスムーズに話が進みました。わからないことは、ＳＮＳやグループラインなどでよく聞きます。すると、たいていフォロワーさんが教えてくれます。他にも、イラストが得意な人、カメラが得意な人、などなど、いろいろな人の「得意」に助けてもらっています。もちろん、特技や専門性に限りません。気にかけてくれている人が多くいる時点で、話が拡散されたり、つながりがつながりを生みます。

関係人口の大切さ、伝わりましたでしょうか？

もっともっとシンプルに考えてしまえば、「関係人口が多い組織」がうまくいかないわけないですよね。だって、たくさんの人が気にかけてくれていて、たくさんの人が応援しているんですもんね。

関係人口の増やし方は、主に二つです。

一つが、やっぱり**「相談」のくせをつけること**です。自分たちだけでやらない。外に相談する。何か困っても、すぐに外注しない。正当な対価(お金とは限りません)はもちろん払うけど、知らない業者にお金を払って頼るのではなくて、近くの誰かに相談してみる。例えば、そういう日々の積み重ねが、「関係人口」を増やします。

2ちゃんねる創設者のひろゆき氏が、著書「1％の努力」(ダイヤモンド社、2020)

で「お金で解決する人は成長しない」という内容を語っていますが、まさにそうだと思います。

二つ目が、**「発信」**ですね。ここは、Part2で詳しくお話しします。発信することで、関係人口は増やせます。

地域課題は混沌としています。そしてこれから、さらに混沌とします。目の前の困っている人の抱えている課題は、もはや一つではありません。たくさんの課題が、複雑に絡み合っています。みんなで相談し合いながら、関係人口を増やして団体戦で課題に立ち向かいましょう。**課題解決の力と「人を巻き込む力」の両方が必要です。**

批判に向き合うのは、結果を出してから

Ｐａｒｔ１の最後に、もう一つ、大切な話をします。何かを始めたいと思っている人、今を変えたいと思っている人には、ぜひ聴いてほしい話です。

えんがおは僕が25歳の時に設立しました。当時は意外と怖さはなくて、なんかいける気がしたし、別に失敗しても死にはしない、と思っていました。何より、周り

の大人に恵まれました。この人たちが周りにいてくれるなら大丈夫だろう。そんな感じでした。

ただ、それなりに批判もありました。周りで20代で起業する人は、起業家のコミュニティでもなければめずらしかったし、起業する作業療法士は特に少なかったように思います。僕らには、見覚えのないめずらしいものをマイナス視点から入る習性があります。ダイレクトに言われることは多くはなかったですが、そういう声は聞こえてきたり、察したりしますよね。

まず言われていたのは、「作業療法士として、もっと経験積んでからのほうがいい」です。批判ではなくアドバイスで言ってもらえる時もあったし、批判の時もありました。僕の中では、「それじゃあ今、この瞬間孤立してる人は誰が救うの？」と思っていたし、今やらなければ10年後もやらないと思っていたけど、相手の言うことも正しい。だから何も言えなかった。

その他の批判にも、正しいものもあったり、まったく根拠のないものもありました。時々、少しだけ傷ついたり心が折れそうになることもありました。そしていろいろ考えた結果、**自分にできることは「目の前の人を幸せにすること」しかない**と思ったんです。タスクフォーカスって言うらしいです。自分のやるべきことに集中する。批判は気にしない。

とは言っても、批判的な声に左右されることもなかったわけではありません。あの人はああ言っているらしい、と気にして方向性を変えようとしたこともありました。でも、その時ついてきてくれる仲間たちも一緒に傷つき、悩んでいることに気がついたんです。

そうなんです。リーダーが批判を気にしてブレてしまうと、ついていく仲間たちも一緒に気にするし、傷つくんですね。その時に、やめようと思いました。**自分たちのやるべきことをやる。批判は気にしない。応援してくれる人だけを大切にする。**

結構振り切っているように聞こえるかもしれませんが、当時はそんなふうに割り切って進みました。結果、それが良かったように思います。

ちなみに、実はこれ、ビジネスの手法としてもよく使われているそうです。その一つが「スマホゲーム」。あれって、無料でめっちゃクオリティ高いものばかりですよね。スマホゲームの手法は、課金してくれる人を優遇して、課金者、つまり「コアファン」の意見だけを聞くそうです。その手法を取っていると、事業としてうまくいきやすいらしいのです。遠くの人(批判者や、別にあなたに大して興味がない人)の意見は無視して、コアファンの意見だけを大切にしていくことが物事を進める近道になります。

面白かったのは、その方向性で進んで、しばらく経った頃。少しだけ、僕らの活動で喜ぶ人がはっきりと見えてきて、クラウドファンディングで150人の支援者から135万円集められたり、「次世代の力大賞」という賞をもらえたりしたあたり。

批判の声が、圧倒的に聞こえなくなりました。

そして、時々出ても「いや、それはこうだよ～」と周りの人が代わりに守ってくれるようになりました。ある程度「誰が、その活動で幸せになっているか」が見えさえすれば、批判は出にくくなることがわかりました。知名度が芸能人並みに上がった場合はまた別ですが。

良くも悪くも、社会は結果主義なのだと思います。結果を出してから、それまでの過程を語れる。他人に対しては結果を求めなくてもいいけど、何かを変えたければ、自分に対しては結果主義になること。その「結果」とは、「テレビに出ました～!」とか、「SNSフォロワー増えました～!」などの表面的なものではなく、自分たちの活動で**「誰が幸せになったのか」**です。これにつきるんです。

そこまで行けば大丈夫。たとえいろいろ言われても「でも、ここにいるおばあちゃんは喜んでる。とりあえずそれでいいや」と思える。

そうです。「思える」んです。結果を出すことで、周りも多少は変わったと思います。でも、ほんのわずか。変わったのは、批判を気にする「僕自身」なんですね。批判を気にしすぎてしまうのは、自分の活動で喜ぶ人を、自分の中でまだ明確化できていないからです。遠くの誰かが批判したってしなくたって関係ないです。**あなたの喜ばせたい人が喜んでいれば、それでいいんです。**

批判と向き合って、苦しまなくていいです。その分、今は目の前のことに集中しましょう。批判している人は、大してあなたのことなんて考えていません。批判と向き合うのは、結果を出してからです。

生き方も同じです。自分を悪く言う人に左右されない。無視する。自分をちゃんと見てくれる人、応援してくれる人だけを大切にする。事業も生き方も、本質は全部同じなんです。

それから、2：6：2の理論は頭に入れておいたほうがいいです。人の習性として、どんな生き方をしても2割の人は、応援してくれる。2割の人には、必ず好かれない。6割の人はどちらでもない。この割合は変わることはないんだそうです。だったら、何をやっても応援してくれる2割の人を大切にしたほうがいいですよね。

このことだけでも、学生には早いうちに気づいてほしいなと思います。

ちなみに「批判に向き合わないと成長できない」みたいな意見もあるかもしれませんが、気のせいです。すごく気のせいです。成長させてくれる批判（正確にはアドバイス）には愛情があります。ここで言う「批判」とは、その愛情がない、ただの劣等感の押しつけのことです。愛情がある意見は、ちゃんとわかります。それは、誰だってちゃんと受けとめるし、受けとめているはずです。想いをもってアドバイスをくれる人は、何をする上でも本当に貴重です。僕も、何度も救われました。批判の背景に、その人の劣等感が見えたら、完全スルーで大丈夫です。目の前のことに集中しましょう。

それでも、結果を出す過程で批判され、苦しむこともあるかと思います。そんな時は、誰か同じような挑戦者に話すことをおすすめします。

大丈夫です。「今を変えようとする人」は少なからずみんな、批判を受けた経験があります。同じ苦しみを通っています。そんな時は、ぐちりながらビールを飲んだっていいじゃないですか。必要なら僕に連絡ください。一緒に飲みましょう。

親と先生も、間違えることがある

休憩です。休憩しましょう。この本では、所どころ休憩を挟みます。そして休憩がてら、自由に話します。

ところで僕、実はこのPart1、山小屋で書いてます。栃木県那須の山に登って、電波の届かないところで、黙々と書いてます。電波の届かないところに山小屋があって、露天風呂あるんですよ。最高でした。何書こうかなと思っていた時に、ちょうど休みが取れそうだったので、前々から行きたかった山小屋宿泊ツアーしちゃいました。作家みたい。絶対無理だわ。もう寂しいし、ラーメン屋さん行きたいもん。

めっちゃ余談ですが、やっぱり電波のないところにいくと、現代社会はいかにスマホに支配されているかがよくわかりますね。時間決めて、この時間からこの時間はスマホいじらない、とかしたほうがいいんだろうなーとしみじみ思っています。とりあえず22時以降はスマホから離れようかなー。

本を書くことが決まって、いろいろ話したいことを考えている中で、どうしてもやりたかったことが「若者へのメッセージ」です。僕もまだ若者ですが。おおむね10代から20代の人たちへ。

えんがおでは、たくさんの学生・若者と関わらせてもらいながら活動しています。あと、中学校や高校に呼んでいただいて、出前講座をすることもよくあります。若者と関わらせてもらって、その悩みを聞く中で伝えたいと思ったことを話します。

まず、僕が学生・若者と関わらせてもらったり、講義をさせてもらう時に必ず話すことがあります。

それが**「親と先生も、間違えることがある」**です。人によっては、これが認められなくてずっと苦しんでいる人がいます。

若者へのメッセージ

でもね、よく考えてほしいんです。「安定した仕事につきなさい」「勉強できないと立派な大人になれない」「ちゃんとしなさい」。これ、おかしくないですか？　世の中見てたら、本当はみんな気づいてるでしょ？

勉強できなくても立派な人、たくさんいること。勉強だけをたくさんして、人の心がみえなくなっている人がたくさんいること。勉強は、とっても大切です。できるかぎりしたほうがいいと思います。僕もだいぶ勉強に救われました。だけど、それは立派な人になるためじゃないです。安定のためでもないです。**自分の人生の「幸せの総量」を増やすために**、勉強が必要なんです。

僕ね、中学校でいじめられてた時、いじめっ子が自分より成績がいいことを知って、それがなんか死ぬほど悔しくて、勉強たくさんしました。それで進学校に行ったんですが、とっても不思議な世界でした。「国立大学にいくことが正義」という教育だったんです。当時は、それに従うしかなかったけど、今思うとやっぱり違和感でした。

みんなは、「大人は正しい」と、無意識に決めつけてない？

みんなが何をやりたいかも聞かずに、「国立大学にいくことが偉い」と言う学校の先生を、正しいと思い込んでないかな。みんなのやりたいことを無視して、「安定」が幸せだと決めつけてしまうお父さん、お母さんを、「正しい」と思ってないかな。

大人は大人で、愛があって、心配してくれている。みんなもそれがわかっているから、受けとめるしかないんだよね。矛盾を飲み込んで、大人は正しい、と思い込むようにしている。だけど、大人だって未熟だから、イライラして八つ当たりすることもある。明らかに機嫌が悪くて怒り出す先生もいる。そんな時、大人を正しいと思い込んでいる人ほど「自分が悪いんだ」という答えになる。

自分が悪い。自分がダメな人間だから。自分には価値がない。そうして自分に自信がなくなる。そんな感じだよね。

でも、大丈夫。

もう一回、ゆっくり考えてほしい。あなたは大人になった時、立派な大人になれそうかな。学校の先生は最短で22歳くらいでなるよ。人によってはもっと早いかも。あなたがそれくらいの歳の時、立派な先生になれそうかな。正しい親になれそうかな。

ぼくには無理です。やっぱり生徒にイライラしちゃうかもしれない。間違ったことを教えてしまうかもしれない。だけど、みんなもそうでしょ？ **「大人」って、僕らが思うほど完璧じゃないんだよ**。間違えることもあるんだ。

それを正しいと思い込んで、「自分が悪い」という結論にして、自信をなくさないでほしい。あなたを傷つけた親や先生は間違ってたんだよ。あなたは悪くなかったんだ。

この話は、僕は別の本で知ったんだけど、ずいぶん心が楽になった。この話を話したうちの何人かは、泣いていたかな。素直ないい人ほど、「大人は正しい」と思い込んでいるみたい。

大人がみんなに「安定」や「正しい」を押しつけない社会になるには、もう少し時間がかかるかな。ごめんね。僕も大人としてもっと頑張って、周りに伝えていきます。

大人は大人で、不安定な社会で大変な思いをした分、みんなには安定した環境にいてほしいんだよね。それは、決して悪いことではない、深い愛情だよね。

だけど、**安定より、みんなの「やりたい」が大切だからね**。たとえ失敗しても、やりたいことが見つかっていれば、それすらも幸せだからね。親や先生と衝突するかもしれないけど、やりたいことがみつかったら、どうか追い求めてほしい。

ちなみに、みんなの希望を家庭内で通したいと思った時、Ｐａｒｔ1の「オセロの角理論と相談」が使えるかもしれないからやってみて。うまくいくとは限らないけど、どうせやるなら戦略的に相談してみよう。

今の社会は、少し極端すぎる社会だと思う。真っ白だけが認められて、少しでも黒いと存在できないような圧力があって。正解ばかりが求められて、とても息苦しいよね。だけど、人間なんて本当はもっともっとグラデーションです。白い時もあれば黒い時もあるし、うっすら白かったりうっすら灰色だったり、良いと悪いの間だったり。

みんなもどうか、社会の極端さに押されてしまうことなく、自分と他人のグラデーションを受け入れていってください。そのほうが楽だからね。

もし、この話が響いたら、みんなにしてほしいことが二つあります。

一つ目。身近で同じような悩みを抱えている人がいたら、教えてあげてね。親と先生だって、間違えることもあるらしいよって。その人が自分を責めてしまわないように。

二つ目。自分が大人になった時、子どもたちにはっきり言おう。自分は間違えることもあるからごめんねって。完璧な大人にならないように注意しようね。完璧でいようとする大人だと、子どもはまた「自分が間違ってる」と思ってしまうからね。ダメなところも、どんどん子どもに見せていいと思う。

三つ目。何か嫌なことがあって、全部やめたくなった時。溜め込まなくていいから、濱野まで連絡ください。ラーメン食べましょう。

四つ目。この本のレビューが荒れていたら、どうか助けてください。そして僕をなぐさめてください。

Part 2

地域活動をビジネスにするために

「えんがおのビジネスモデル」
社会貢献でお金を稼ぐ

このＰａｒｔでは、お金の話をたくさんします。

実は、「社会性」×「経済（ビジネス）」は今後、欠かせないキーワードとして世界中で言われていることでもあるんです。少し小難しくなりますが、ドイツの有名な哲学者「マルクス・ガブリエル」さんは、**資本主義（利益優先）の社会から、「倫理資本主義」の社会にシフトする**、と語っています。利益だけではなくて、そこに「倫理観」、つまり、社会的にもいいことをしながら利益を生んでいく活動が必要になってくる、という考え方ですね。

この話は、日本でも内閣府のＨＰにしっかり掲げられています。「Society 5.0」といって、「経済発展と社会課題解決の両立する社会」に向かっているのだそうです。この世界的流れの文脈を読み解くと、一般企業がもっと社会性をもつ必要があるのと同じように、**地域づくりなどの社会的活動は、もっと「経営」を強めていく必要があります**。なので、学生さんには少し生々しいかもしれませんが、今後こういった活動をする時には、「経営」や「お金を稼ぐ」ことから目を逸らしてはいけない、と知っておいてください。

経済発展

- エネルギーの需要増加
- 食料の需要増加
- 寿命延伸、高齢化
- 国際的な競争の激化
- 富の集中や地域間の不平等

社会的課題の解決

- 温室効果ガス(GHG)排出削減
- 食料の増産やロスの削減
- 社会コストの抑制
- 持続可能な産業化
- 富の再配分や地域間の格差是正

IoT、ロボット、AI 等の先端技術をあらゆる産業や社会生活に取り入れ、
格差なく、多様なニーズにきめ細かに対応したモノやサービスを提供

「Society5.0」へ

経済発展と社会的課題の解決を両立

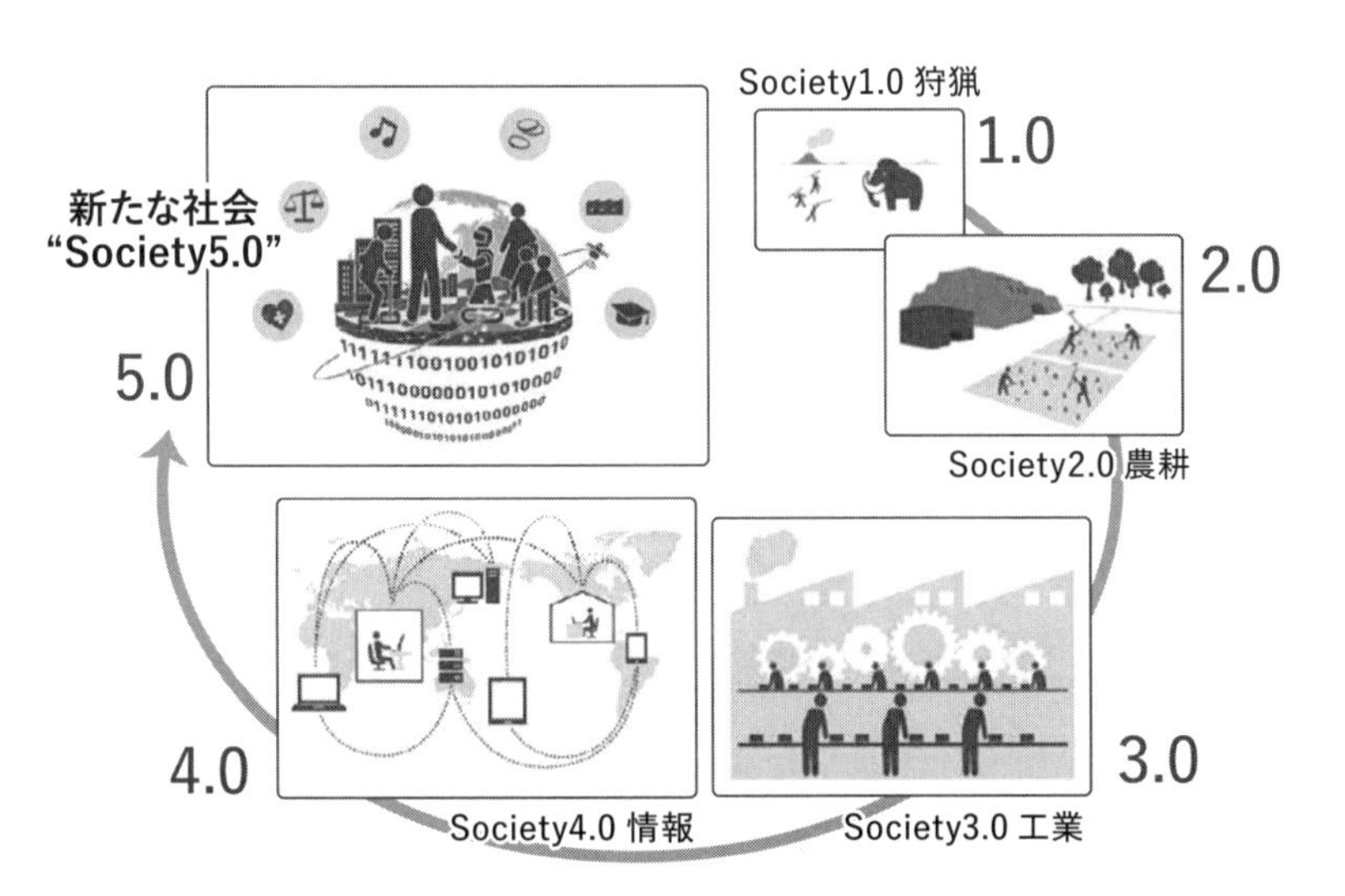

出所:内閣府 HP「https://www8.cao.go.jp/cstp/society5_0/」より作成

えんがおについてよく聞かれる質問のうちの一つが、「経営は成り立っているんですか?」です。「どんなふうに成り立っているか」と「どうして成り立っているか」についてお答えします。まず、簡単に言うと僕は、今この仕事で30代の平均年収+αくらいはお給料をもらっています。そして、かなり幸せに生きています。なので成り立ちの定義にもよりますが、「なんとか成り立っているんじゃないですかね。知らんけど」という回答になります。

一般社団法人えんがおは、2021年の5月で4年がたちました。経営的には5期目に入っています。4期目の1年間では、事業規模は約1500万円でした。ざっくりの収入割合は、自主財源4割・寄付会費1割・助成金3割・コロナ給付金(特殊収入)2割です。5期目の予想規模は3000万円です。

えんがおの決算を公開すると、いろいろな驚き方をされます。まず、こういった地域活動にボランティア的イメージをもたれている方からは「どうやってそんなに稼いでいるの?・」と言われます。稼げているとも見えるし、いないとも見えるので、この辺のリアクションは人それぞれですね。

もう一つは、「これだけ多くの事業が、年間1500万円の規模でやっていけるの?・」という疑問です。結論から言うと、経営的にはまだまだ課題だらけです。定期的に、キャッシュ(現金)がぎりぎりになって不安になることもあります。なんてこった。パンナコッタ。

「こんな偉そうに本出しておいて、全然何も成し遂げてないじゃないか!・」と思ったそこのあなた。あなたは正しいです。でも、古本屋さんには持っていかないでください。えんがおでは、中古本の寄付の受付もしているので、よろしければ事務所まで郵送してください。郵送がめんどくさいという方は、枕にしてください。この本は、枕にするとよく眠れるという、〝cbq暎えfgcbァェオbふえうvg〟という素材を使用して作られています。素材名は、今ネコがキーボードの上を歩いて打ちました。

というわけで、うまくいっている話ではもちろんなくて、試行錯誤しながらわかったこと、大事にしていることをお話ししますね。経営は、きっとみんな大変な思いをしていますし、すると思います。でも、一緒に考えながら頑張りましょう。安心してください。悩みはみんな一緒です。苦しいのもみんな一緒です。経営で悩んでいない経営者なんて、多分いないです。そういう夢への道中も、寄り道しながら楽しみましょう。

初月売上500円から平均年収に至るまで
おじいちゃんの頭皮に罪はない

えんがおを立ち上げた最初の月の売上は500円でした。おばあちゃんのお手伝いでもらった500円です。お昼何を食べようかを、めちゃくちゃ悩んだ記憶があります。500円しか稼いでないのに、何を食べたらいいんだろう……と。

生活支援事業は30分５００円から２０００円で、仕事の難易度などに応じて料金設定しています。時々「人助けなんだからもっと安くしてほしい」という旨のことを言われることがあります。専門職の方から「えんがおは高い」と言われることがあることも、知っています。怖い顔したおじいちゃんから「なんでそんな高いんだ！」的なことを、強めに言われたりもしました。そういう時は、Ａ４の裏紙を縦長に丸めて、薄まった頭頂部をやさーしくひっぱたきたくなります。でも、それはさすがに頭皮に申し訳ないので、どうしてしっかり値段を設定しているかをお伝えします。

僕たちは、「依存」を生みたいわけではないんです。

「３０００円もするなら、息子にやってもらうわ！」「そんなにかかるなら自分でやるわ！」がゴールなんです。そうなったら、むしろうれしいのです。

ぜひぜひ、息子さんに連絡してみてください。「安いからお願いする」を求めていないんです。僕らのターゲットは「3000円は安くはないけど、自分ではできないし、お願いする人も近くにいないから、えんがおさんにやってほしい」という人なんですね。

「福祉」や「介護」が目指すのは、あくまでも「自立支援」です。「やってあげる」仕事ではありません。その人の自立を「ちょっと助けまっせ」なんです。「やってあげる」では、何も解決しないんですね。

それから、ちゃんとした値段設定をしないと続きません。地方ではよく「なんでも500円でやりまーす！」みたいなボランティアサービスが出ては、半年から1年で消えます。続かないんです。僕たちも立ち上げてから3人くらい、地域でそういった方をお見かけしています。

逆に「安すぎて頼みにくい」と言われたこともあります。最初の頃は値段設定が怖くて、大変な仕事でも500円で請け負ってしまったこともありました。明らかに割に合わない金額、ましてや「無料」だと、一度目はよくても、「また来て」「毎週来て」が言いにくいんですね。

特例はあります。結構よくあります。例えば生活保護の方で、どうしてもお金がないけど、誰も頼む相手がいない。でも緊急でやらなきゃいけない。そんな時は、ケアマネジャーさんなどと相談した上で、ほぼ無料で行います。ほぼ、というのは、やはり無料はよくないと思うからです。5人で丸一日大掃除をして、100円だけもらうこともあります。

片付けができなくなってしまった方のおうちを、みんなで大掃除

こうして、紆余曲折しながら自分たちのスタイルを見つけて頑張っていると、だんだん「お抱えの生活困りごと相談相手」になることが増えてきました。「かかりつけ医」のようなイメージでしょうか。「生活で困ったら、とりあえずえんがおに言う」となる存在です。相談を受けた私たちは、内容によって専門業者を探すこともあるし、行政の方につなげることもあるし、自分たちで対応させていただくこともあります。

ちなみに、そういった「安心感」を生むためにしているいくつかの工夫の一つが「チェキ」です。「困った時に頼れる人がい

る」ことを、可視化しています。こうした工夫もあってか、一度頼んでくれた人がもう一回頼んでくれることを「リピート」と捉えた時、えんがおの生活支援事業におけるリピート率は90％以上となります。

「顧客」という言葉をあえて使いますね。抵抗のある人、ごめんなさい。

こうして、顧客が定着すればビジネスとしても先が見えてきます。お抱えになることが増えたのは、きちんと値段を設定してお金をいただくようにしてからでした。お抱えになることには、大きな意味があります。独りで暮らしていて、困っても誰にも頼めなくて、その不安の中で生活している人。**その生活に「困っても頼る相手がいる」という安心感をつくり出せることです**。それだけで、「夜ゆっくり眠れるようになった」と言われます。うれしいです。

もう一つ、経営を頑張る理由があります。それは、**経営的に成り立っているサー**

ビスでないと、他の地域に広がっていかないからです。「波及性」というやつです。

僕らは、地域密着のサービスです。沖縄の電球が切れて困っているおばあちゃんを、北海道のタンスが動かせなくて参っているおじいちゃんを、救うことができません。だから、他の人が真似したくなるような、真似できるようなサービスをつくります。そして、情報を全部公開して、他地域に広げていくことを目指しています。この「波及性」は、地域活動でとても大切な視点です。

時々質問されますが、チェーン展開などは、僕らとは相性がよくないので考えておりません。でも、やり方や収益などを全部公開してお伝えしていて、県外の方がそれぞれの場所で生活支援や多世代交流サロンを実際に始められた方も数名います。

そういった方が、「えんがおを目指して始めました!」と言ってくれて、全国各地で頑張っている話を聞きながら飲むビールは、なんだかいつも以上に美味しいんです。これが、僕にとってはお金以上の価値があります。

この本で言いたいことの97・35％はこれ

そんな想いでやっていた生活支援事業。ひたすら関係機関に挨拶したり、「相談」したりしながら、少しずつ件数が伸びていきました。この時（初年度）は、僕は週に4日作業療法士をやっていたので、残りの3日で動いていました。

少し話がそれますが、この起業スタイルはすごくおすすめです。起業して初年度から人件費なんて、なかなか出ません。貯金切り崩すのもいいでしょうが、メンタルも徐々に切り崩れると思います。週4日勤務は、社会保険料などの関係で月々のお給料は常勤とそんなに変わらないことが多いです。ボーナスがないか、少ないくらい。これだけ混沌とした何があるかわからない社会情勢で、一念発起して脱サラして起業、を僕はおすすめしません。なので、**常勤で働いている方は週4日勤務にしてもらって、残りの3日で起業。**稼げたら（その兆しが見えたら）退職、というスタイルをおすすめしております。特に若者には。

話を戻します。生活支援事業を進めていくと、いろいろ課題はあって、怒られることもたくさんあって、丸一日謝って終わることも多々ありました。遠方の家族からのクレームで、電話越しにひたすら怒られたりもしました。

それでも、ニーズがつきないことがわかりました。孤立しているおじいちゃん、おばあちゃんは、確かにいました。困っても頼る相手がいなくて、がまんしたまま、独りで生きている高齢の方が、目の前にいたんです。「求めている人がたくさんいる」ということは「誰かがやる必要がある」ということです。そして、やり方次第では「仕事（ビジネス）になる」ということです。このまま生活支援事業で頑張ろう、と思いました。そんな中で、さらにいろいろな声が聞こえてきました。そのうちの一つが**「日中の居場所がほしい」**でした。

結果、居場所づくりとして「空き店舗を活用した地域サロン」ができました。冒頭で紹介した、後に年間４０００人以上が集まる地域サロンですね。合わせて、定期的に「世代間交流イベント」も実施しました。この時意識したのも、基本的には生活支援事業と同じ考え方です。無料ではなくて、１００円でいいから、ちゃんともらう。

そして、「たくさんの人を巻き込む」ことも大切にしました。

改修の段階から。名前をつける時から。とにかく、いろんな人と「一緒にやる」。一緒につくった人は「仲間」であり、「応援者」になります。一緒につくったから、何かと気にかけてくれるし、必要なものは提供してくれることもあります。すべての事業で、**僕たちは「つくる段階から人を巻き込む」を大切にしています**。

そうして生活支援事業・世代間交流を行っていくうちに、補助金の話をもらえたり、寄付の話が出てきたりしました。この辺はまさに、僕らの活動で喜ぶ人の顔が見え始めてきたことで出てきた効果であり、成果であると思います。そこからはただただ、その積み重ねと繰り返しでした。まとめます。

①目の前のニーズを拾う。それが自分たちのもつ性質と合っているかを確認して、できそうならやる。
②やる時はなるべく多くの人を巻き込む。つくる段階から巻き込む。

③壁にぶつかって凹む。ビールとレモンサワーを飲む。
④とにかく相談する。
⑤その活動で誰が喜ぶかを明確化して、発信する。

ああ。終わった。もうこれでいいのではないでしょうか。もう、これですよ。これ以外ないと思います。僕が言いたいことなんて。あとは、僕の好きなラーメンの話をするか、アウトドアの話をするか……。本当にただこの繰り返しでした。その結果が、地域食堂であり、シェアハウスであり、グループホームなんです。

さすがにこのままラーメントークにいったらそもそも編集会議を通らなさそうなので、数字（えんがおの決算）について詳しくお伝えします。

地域課題解決は、「スモールビジネス」の積み重ね

細かい情報をお伝えします。まず、4期目は常勤が濱野一人、他のメインスタッフの二人は非常勤でした。障がい者向けグループホームは2月に開業したので、まだ収入には入ってきていません。障害事業の収入は2か月遅れでやってくるのです。

他のスタッフの二人は、えんがお以外のNPOや介護施設で修行しながら、えん

がおで働いていました。「だぶるわーく」というやつです。グループホームを始めることもあって、５期目（２０２１年度）からえんがおに常勤で働き始めています。ちなみに、まだ他の仕事も副業としてやっています。この二人は「変態」なので、あまり参考にはならないかもしれません。

収入について、ポイントを分けて解説します。一つ目のポイントは、月１００万円稼げる事業をやっているわけではなくて、月10万円稼げるようなスモールビジネスが10個あるようなイメージです。

地域密着の活動は、そもそもフィールドが小さいです。つまり、「市場規模」も小さいんですね。だから、大きな収益の事業を考えるのではなく、小さくてもいいから「支出が少なく」できる事業から始めました。そして、少しずつ育てていきました。これを、**すぐ横文字を使うことで有名なビジネス業界**では、「スモールスタート」というらしいです。そのままじゃないか。

そのかわり、一個の事業に縛られず、その地域で求められているものを、その地域の特色を生かしながら挑戦していくことを心がけています。ただ、なんでも手当たり次第にやればいいかというと、半分は正解で、もう半分の半分は、半分不正解です。**それぞれの事業がどう「相乗効果」を生むか。その視点が必要です。**

既存の事業と新規事業がどう相互に寄与していくかを考える、ということですね。

二つ目のポイントは、収入の割合についてです。こういった地域活動をビジネスにしていく時に、みなさんはどんな比率が理想だと思いますか？

冒頭で紹介した僕の大先輩、ＮＰＯ法人とちぎユースサポーターズネットワークの代表理事、岩井俊宗氏曰く、**ＮＰＯ活動で成功している組織の収入割合は「自主財源：寄付・会費：補助金＝３：３：３」**なのだそうです。異論のある方は、僕じゃなくて岩井さんにお願いします。

ＮＰＯ活動において、周りの人を巻き込んで課題を共有することには、とても大きな価値があります。そのためにも、「寄付・会費」を一定数集められる組織が理想です。逆に、寄付・会費のみではなく「自主財源」をしっかりもっていることも重要です。「自分たちでお金を集める力がある」ことが重要なんですね。言わずもがな、コロナ禍でも浮き彫りになりましたが、社会的トラブルで自主財源が急になくなる可能性もあります。

そして、補助金です。正確には「補助金や助成金」です。ここは、ないほうがいいと言う人もいます。どちらが正しいなどはないですが、補助金・助成金を取れるということは、「行政や財団を巻き込んでいる」とも言えます。補助金などに頼りっきりはよくないと思いますが、何かの事業の立ち上げ時に活用するのは、僕は大いにありだと思っています。僕らも、基本的には新規事業の立ち上げに活用しています。

割合的にはまだまだ課題はあるものの、「さまざまなキャッシュポイントをもつ」

ことを意識してきました。おかげで、コロナ禍も乗り越えられそうです。だいぶ危なかったけど。

4期目は、いろいろなところから補助金のお声かけをいただいたこともあって、補助金の割合が少し大きくなりました。さらに、コロナ関係の給付金も出たので、収入の割合がイレギュラーになってしまいました。結果、収入の半分は補助金と特殊収入になっています。もっと自主財源の割合が増えるように頑張ります。

穴の開いたコップじゃ、安心してビールを飲めない

知らん会社の細かすぎる会計の話は、聞いていても決して楽しくないと思うのですが、もう少しだけお付き合いください。伝えたいことを伝えるためと、ただでさえハムスターの涙ほどの説得力を、クォッカやアオアシカツオドリの涙くらいには引き上げるべく頑張ります。

小さなフィールドで応援者を集めながら、ニーズに合わせて小さな事業から始めていった。それを一つずつ育てていった。そんな収入のお話でした。**そこにもう一つ鍵となるのが、「支出を最小にする」ことです。**

結論から言うと、**「信用」を集めて、たくさんの人に応援してもらう。**「ヒト」「モノ」「知識」「技術」が集まる組織になることで、支出を最小にする、というお話です。

まず、僕らの支出についてです。先ほどの4期目の決算。約1500万円の収入に対して、支出は約1350万円でした。減価償却（なんかよくわからない会計の難しいやつ）などのこともあるので、本当に細かいところまでは割愛して、全体的にわかりやすく表現しています。割合は、約半分が人件費（濱野常勤、他二人が非常勤の年）、もう半分が6棟分の家賃や消耗品費と、新規事業への投資（準備費）です。となると、やっぱり減らしている支出は、6棟分の家賃や消耗品費であることが見えてきます。一覧にします。表をご覧ください。

いろいろなことをやっている分、なかなかわかりにくいですよね。すみません。本来かかるはずの支出を、とにかくあの手この手で少なくしているんです。経営をかじっている人などにはわかると思うのですが、6棟もあれば、もっともっと管理費関係でお金がかかるんです。

家賃が安くできたり、改修にいろいろな人が助けてくれたり、必要なものが寄付してもらえたり。

そうやって支出が少なくなって、経営がなんとかなっている、ということが伝わったらうれしいです。それが、僕たちのビジネスの一番の「核」です。

それでは、どうしたらそのように「ヒト」「モノ」「知識」「技術」が集まるのか。

Part3は、その「核」ついてお話しします。

〔コミュニティハウス〕

１Ｆ：地域サロン。事務所もここにある。
２Ｆ：勉強場所。
収入：１Ｆ100円、２Ｆ高校生100円・大学生200円
支出：家賃50,000円、他水光熱費など
収支：トントン

〔無料宿泊〕

一軒家を寄付していただいた。土地は別の人が所有。
収入：寄付
支出：土地代4,000円／月、他水光熱費など
収支：トントン。

〔SHARE PLACE〕

１Ｆ：地域居酒屋。空いている日は一日店長（シェアキッチン）
　　昼・夜、各4,000円。
２Ｆ：シェアオフィス。15,000円×３部屋
収入：地域居酒屋・シェアキッチン・シェアオフィス売上
支出：家賃30,000円、他水光熱費など　収支：黒字

〔ソーシャルシェアハウス〕

えんがおサポーターのシェアハウス。
コーディネートが大変なので公募はしない。
収入：学生15,000円・社会人17,000円
支出：家賃30,000円、他水光熱費など　収支：黒字

〔障害者向けグループホーム〕

収入：利用者実費分＋障害者自立支援法による報酬（制度事業）
支出：①家賃100,000円
　　　②一軒家を寄付していただいた。土地代23,000円／月
初期改修費を250万円かけた改修　収支：黒字

Part 3

地域活動の「発信」について

「発信」から逃げない
これからの社会は、「地道な活動」では変わらない

すみません。タイトル飛ばしすぎました。出版社の方に「インパクトのあるタイトルがいい」ってそそのかされたもので。さっそく撤回します。地道な活動でも社会は変わります。地道な活動、とっても大切です。

でも、地道な活動の「まま」だと、変えられる範囲はとても狭いです。せっかく頑張っていても、その影響は広がっていきません。簡単に言えば「救える人が少ない」ということです。地道な活動をしつつ、その影響を外に広げるために大切な「発信」についてお話しします。その「発信」こそが、地域づくりをビジネスにつなげていく鍵だと思っています。

支出の部分でお話しした通り、4年間の間に2軒の空き家を寄付され、4軒の空き家をかなり安い家賃でお借りしました。その6軒分の冷蔵庫や洗濯機、そのほか必要なものなども、ほとんど寄付していただけたおかげで、かなり低いコストでいろいろな事業が展開できました。その過程でよく質問してもらえる「なんで、そんなにいろいろもらえるんですか」についての話です。ちなみに答え（結論）は「周りの人に恵まれたから」と、**「発信をしっかりして、信用を集める努力をしているから」**です。腹落ちした人は、この先は読まなくて大丈夫です。

いやー。こんな感じでいいのかな。めっちゃノウハウ語りますやん。エセビジネス書みたいになってないかな。なってるか。なってるな。

でもね。文章を書く上でも、何か活動をやる上でも「まずは自分が楽しむ」って一番大切ですよね。僕はいま、一般社団法人えんがおの活動内容をだらだら詳しく伝えるよりも、それから学んだことをみなさんに伝えて、「今を変えようとする人」の役に立ちたい欲求が強いんです。自分が楽しくないと、人にはいい影響なんて与えられないですもんね。

発信がなぜ大切か、の話をします。簡単にいうと、いろんな人に「知ってもらって」、関係人口を増やすためです。そして、**「信用」を集めるため**です。なぜ信用が必要なのか。「モノ」や「知識」や「技術」や「ヒト」があふれている時代だからです。

「知識」や「技術」は、かつては一部の人しかもっていないものでしたが、今では指先で調べればなんでもわかるようになりました。料理やＤＩＹ、車の傷の直し方なんかも、基本的には調べればやり方が出てきて、必要な道具もすぐわかります。さらに、ほとんどの技術が「素人にできるように」まとめられて、公開されています。素人向けの方が「情報としてのニーズ」があるからですね。結果、ネットワークのノウハウを得て、練習もできて、**「プロ並みにうまい素人がたくさんいる」時代**になりました。

僕の周りの学生も、プロ並みにイラストがうまかったり、カメラがうまい人がいたりします。すると、知らないプロにお金をたくさん払ってやってもらうよりも、知り合いに「対価」を払ってやってもらいたい気持ちに自然となっていきます。これは単純に「知り合いだから」だけではなく、その人の人柄を知っていて、その人に「信用」があるからです。

あるいは、もう「技術」だけでは勝負に勝てない、ということでもあります。**技**

術に加えて、「この人に頼みたい」と思ってもらえる「信用」や「物語」があるかどうかが重要なんですね。

「モノ」で考えてみます。日本中で空き家が余っているのは、周知の事実ですね。では、その空き家はこれからどうなっていくでしょう。空き家の所有者には、いくつかの選択肢があります。「売る」「貸す」「壊す」「放置する」それともう一つ。管理が大変だから「あげちゃう」です。この「あげちゃう」は、知らないと現実感がないかもしれませんが、あるところにはある話です。

みなさんが空き家の所有者であったとしましょう。思い出が詰まった家。だけど、もうもっていても管理も大変。誰かに譲る方向で考えている。どんな人に譲るでしょうか。お金をたくさん払ってくれる人、というのは一つの大切な要素ですが、わかりやすくするために一度そこは抜きにしますね。そうすると、どんな人に譲りたいですか?

考えるまでもないですね。大切に使ってくれそうな人ですよね。さらに言えば、誰かの役に立つ使い方をしてくれる人にだったら、自分では管理できない空き家をあげてもいいかな、となりません。

詳しく知りたい人や組織について、インターネットで調べることはもはや当たり前になりました。調べたときに、その人がたくさんの人を幸せにするような活動をしている人だということがわかったら（調べた相手がそういう発信をしていれば）、譲りたい気持ちはさらに強くなります。

モノが豊富であふれる時代。自然とそのあふれたものは、安価で、あるいはタダで「誰か」の元へ辿り着きます。その「誰か」こそが、「信用がある人」。もう少し言えば、「信用が貯まっている人」です。

これらは、近年、「シェアリングエコノミー」なんて言葉で表現されています。自分の余ったもの・いらなくなったものを匿名で他者と譲り合うフリーマーケットアプリ「メルカリ」なんかは、そういった時代の代表ですね。メルカリなどはあくまでも有償で譲り合うサービスですが、もう少し狭い知り合い同士でいくと、「信用のある人に譲る」選択肢が必ず出てきます。

繰り返しますが、信用の貯まっている組織や個人に、これからますます**「モノ」「知識」「技術」「ヒト」が集まる時代になります**。そして、いろいろな資源が集まる組織や個人が成長していく。ごくごく自然の現象ですよね。

ただ、ここで、聞いてくださっているみなさんに非常に言いにくい情報です。たぶん、この今僕が偉そうに話している「信用」の話。これ、キングコング西野さんの『新世界』（西野亮廣著、ＫＡＤＯＫＡＷＡ、２０１８年）という本を読んだほうがわかりやすいです（笑）。今ひとつピンと来なかった方や、もっと深く知りたい方はそちらをぜひ。「信用」が、これからの社会でいかに重要かがわかりやすく載っています。

じゃあその「信用」ってなんですか、という話をします。そして、どう貯めるのか、どうしたらいろんな「モノ」「知識」「技術」「ヒト」が集まる人（組織）になれるのか、の話をしますね。この辺は、この本もけっこう実践的なはずです。

あなたを応援してくれる人は、エスパーではない

どう応援を集めるか

そもそも「信用が大切」なんて、とっくの昔から当たり前田のクラッカーですよね。

どうして最近、改めてその話が増えているかというと、やっぱりこれからの地域活動やビジネスにおいて、その「重要度が増す」からです。

それで、改めて「信用」とは何かを考えてみることにします。

いろいろ答えはあると思いますが、僕は、**「人を幸せにした事実や想い」が「発信されて」生まれるものが「信用」だと思っています。**この「発信されて」が鍵です。発信がないと、やっている人たちとその周りの人たち以外、誰も知らない活動になってしまいます。どんなにいい活動をしていても、それを「発信」しないと、そこだけで終わってしまうのです。

もちろん、一番大切なのは対象とする人が喜ぶことです。例えば子ども食堂だったら、子どもたちが喜ぶことですよね。それは大前提です。まずは目の前の人を喜ばせている「事実」、あるいはそれを描く「想い」がなければ、発信しても無意味ですからね。

ただ、です。「いいことしました」「素敵なことを考えています」で終わらないでください。子どもたちを喜ばせて、自分たちもハッピーになった。めでたしめでたし。これでは、活動者と受益者「のみ」の話なんです。そして、ここで止まっている人が、意外と多いです。「今日は子ども食堂をやりました」の発信をしてください。どんな人が来たのか、どんなことで困っていたのか、自分たちの活動の結果、どう喜んでくれたのか。それを発信してください。

それを第三者がみて初めて、「へー。いいことしてんじゃん」となるわけです。定期的に見るから、冷蔵庫が余った時に、食材が余った時に、宝くじに当たった時に、前澤さんから100万円もらった時に、「あそこを応援してあげようかな」となるわけです。

これは、日々の発信で「人を幸せにした事実」が「第三者」に伝わって、信用が貯まったからなんです。目の前の人を喜ばせることが、何より大切です。順番で言えば間違いなく、1番は「人を幸せにした事実を積み重ねる」ことです。だけど、これからの時代、それとセットで**「発信して信用を貯める」**ことも大切なんです。

なぜなら、あなたを応援してくれる人はエスパーではないからです。あなたが発信しないかぎり、伝わらないんですね。確かに、丁寧に活動を重ねて、口コミで少しずつ知られ、応援が集まることもあります。というか、これが今まででした。でも、幸か不幸か、社会は「インターネット化」してしまった。なので、発信をせずに口コミで少しずつ知られるスタイルの素敵な団体を差し置いて、どんどん発信している団体に応援が集まってしまいます。

厳しい言い方かもしれませんが、社会を良くしたいと思えば思うほど、発信から逃げないでください。**「活動だけを頑張れば、誰かを救える時代ではなくなった」**ことを認めましょう。発信して信用を貯めるんです。そして、いろんな「モノ」「知識」「技術」「ヒト」が集まる組織になりましょう。そうやって多くの人を巻き込まなければ、いつまで経っても、変えたいものを変えられません。

偉そうに、厳しい言い方で失礼しました。えんがおを嫌いになっても、濱野は嫌いにならないでください。

それともう一つ。「まだ何かやっているわけではないけど、何かをやりたい人」に「何から始めたらいいですか?」と聞かれた時も、僕は必ず「発信しましょう」と伝えます。もう一度繰り返します。**人を幸せにした事実や「想い」が発信されて生まれるものが「信用」**です。

「こんなことを考えている」「もっとこうなったらいいと思う」その発信があると、活動を始めた時にすでに信用が貯まっています。あるいは、仲間や情報が集まるきっかけにもなります。行動がすべてではありません。行動できないタイミングや立場にあったとしても、どんな未来を目指しているか。どんな想いを抱いているか。それだけでも、十分信用は貯まります。

発信は、最初はみんな怖いものです。知られることが怖い。批判されることが怖い。どう受け取られるかわからないから、怖い。

でも、大丈夫です。何かを変えている人は、みんなその怖さを乗り越えている人です。ならば、やりたいことがあるあなたも、きっと発信できます。炎上してしんどくなったら、僕がビールかラーメン奢ります。僕が炎上したら、誰か飲みに連れていってください。

「熱い想い」で、相手を火傷させない
妖怪をつくらないために

発信すること自体がいいことで、素晴らしいことです。その発信の際に気をつけたいことを、僕の失敗談とともにお話しします。

それはもうタイトルの通りなのですが、熱い想いって、時には人を火傷させてしまうんですよね。具体的に言うと、**「相手が求めていない」熱量をこちらが出してしまったとき**、ですね。そもそも論として、人は「自分が知りたいこと以外、知りたくない」んです。**本人がほっしていない情報は、本人にとっては価値がないんですね**。例えば、この本もそうです。こんなマニアックすぎる地域づくりの内容なんて、ほとんどの人は興味がありません。読んでくれているみなさんが、最高に「変態」なだけなのです。

あれは忘れもしない、よく晴れたか、くもりだったか、雨の降っていたある日。とある地域で「地域の人たちのやる気を出させるような講演をお願いします」との依頼を受け、意気揚々と講演に行きました。聞きに来ていたのは60代〜80代。定年退職をして地域の役職についているような方々が、「もっと自分たちで、この地域をよくしていかなきゃいけないと感じて、動き出すような講演」を求められました。行政の担当の方は「若い人の頑張っている姿を見れば、モチベーションの低い人たちも、重い腰をあげると思うんです!」のような感じでした。

うん。すごくありがたいし、頑張ろう！　そう思った僕は、ついつい、熱量高く、熱く語ってしまったのです。それで、聴く側はどうだったかというとですね。

ある人は、寝てる！　そもそも始まる前から寝てる！

ある人は、手元の資料ずっと読んでる！　読んでて話聞いてない！　見えないらしくて隣の人に「何て書いてあるの？」って聞いてる。いやだから、それを今話すから聞いてよ。

ある人は、めっちゃ斜に構えてる。もう顔が「若造に何がわかる」って顔に書いてある。「斜に構える」とはよく言ったもので、体ごと斜めになってる。妖怪「斜仁構魔江（しゃにがまえ）」がいる。
みたいな感じでした。

でも確かに、そうかもしれないですよね。今はまだそんなにやる気ない人からしたら、わざわざ呼ばれて「頑張ってる若者の話聞いて、やる気出して！」と言われても……ですよね。ましてや、高度経済成長を支えてきた、そして退職してなお元気で優秀な方々。若造が急に熱く語っても「俺たちの頃は～」とか思うのは、ごくごく普通ですよね。

僕が妖怪「斜仁構魔江」に負けた敗因は、**相手の熱量を考えず、自分の熱量を押しつけてしまったことです**。結果、相手を火傷させてしまった。熱量を上げるどころか、引かせてしまったかもしれません。帰りの車では、一人で反省一色でした。反省しすぎて、二郎系ラーメンしか喉を通らなかったほどです。では、どうすればよかったのか。

まず、相手の熱量をもっと想像すればよかったと思いました。相手の立場、熱量はどれくらいか。僕のような若者の話は、どう感じるのか。そもそも自分たちの地域のことをどう思っているのか。現状に課題を感じる人しか、変えたいとは思わないはずです。まず、その地域には課題があるのか。その課題を感じているのか。

その大失敗の後からは、講演を受ける際には「どんな人が聞くのか（年齢・属性・モチベーション）」「その地域には、どんな課題があるのか」などを必ず確認することにしました。そして、モチベーションの決して高くない方々向けには、僕も抑えめの温度で、でも芯をもって話すようになりました。何かを伝える、というよりは、一緒に考える形式です。例えば、以下の質問を投げます。

・自分の住む地域で、子どもや孫世代に残したいもの、誇れるものはなんですか？
・逆に、残したくないものはなんですか？

すると、次のような意見が、モチベーションの低いように見える人から帰ってきます。

「近所の公園が年中草だらけ。あれは、孫たちに申し訳ないと思う」
「昔に比べて近所付き合いがなくなった。これでは、子どもたちも住みにくいかもしれない」

まずは、自分たちで課題に気づいてもらうんですね。その後は

「それは、誰が解決しますか？」

という問いを投げます。みんながみんな「やるか！」とはなりませんが、何人かは「自分たちがやらないと、誰もやらないんだ」ということに気づき始めます。そうして、少しずつ「何かやらなきゃ」と思う人を掘り起こしていく。そんなふうに話の展開を変えました。

この方式は、実はけっこう効果の実感があります。「地域の人たちのやる気を出させるような講演をお願いします」のような依頼は時々あるのですが、講演の後、「えんがおに触発されて、みんなで○○をやり始めました！」などの報告がチラホラいただけるんです。僕たちの話が、実際に別の地域の「動き」につながるのであれば、こんなにうれしいことはありません。

僕は妖怪「斜仁構魔江」から、「相手の温度に合わせて発信をすること」の大切さを教わりました。特にこういった**社会貢献活動は「興味のない人にどう伝えるか」が鍵**になってきます。「興味のない人」に知ってもらうことが、課題解決の一番の近道だからです。

誰に向けた発信なのか。興味のない人に向けたものなのか、関心をすでにもっている人に向けた発信なのか。興味のない人に届けるなら、本当にそのキャッチフレーズでいいのか？　一般の人からしたら怖かったり、意味がわからなかったりしないうか。

か。興味のない人が「読もう」と思える文章か。文章の量は適切か。デザインはどうか。

発信することも超大切ですが、発信して伝わるのではなくて、発信して「見てもらって」、やっと伝わります。だからこそ、自分たちが伝えたい相手は「どんな温度感の人か」を確認することが重要なんですね。

NPOや福祉の業界は、特にこの「相手の温度に合わせる」が苦手な気がします。真顔で一方的に「子どもが貧困で苦しんでます!!」「保護犬を救ってください!!」と言っても、一般の人たちは怖がって離れるだけです。小さな文字でびっしりの広報誌は、いったいぜんたい誰が読むんでしょうか。

この本も、やたらとゆるい文章や、文法を無視した語り口調が目立ちますね。たぶん、真面目な方には「マジないわー」だと思います。そんな人からレビューでディスられて、**僕の気持ちがまじ卍でぴえんになる**未来まで読めます。

ただ、一応「読むハードルをできるかぎり下げる」意図があります。文章だけではなく、タイトルや文字の大きさ、余白の多さなんかもそうです。お堅い学術誌に載せたいなら、これだとダメですが、頭をやわらかくして地域づくりをやりたい、という人と、本を読み慣れていない若い人向けにも発信したい、と思った時の温度感でもあるわけです。

ちなみに、医療・福祉の領域で僕が、ＳＮＳの発信でとても素敵だなと思っている人がいます。医療法人社団　悠翔会 理事長の佐々木淳先生です。ぜひ、佐々木先生のＦａｃｅｂｏｏｋページを見てみてください。たくさんの人に知ってほしいことを発信してくれているので、単純に見てもらいたいです。そして、温度感、共感をうむ物語、メッセージ性。「伝えたいことを他者に伝える」が、丁寧で熱いです。僕は佐々木先生の投稿を見て、「あー。伝えるってこういうことだよなあ」とよく思っています。

最初から上手にできる人なんていません。自分にとっての「理想」を見つけて、真似する。その繰り返しです。**うまくはいかなくても、理想を見つけることと、真似することは**できます。僕もまだまだです。一緒に頑張りましょう。

「地域活動しているのに、近所の人とは仲良くない」という、あるある探検隊

活動を始める前も始めた後も、「発信が大切です」という話をさせていただいております。それで、いまさらですがひとつ断っておきたいことがあります。

発信の大切さを語っておりますが、僕個人は、ＳＮＳ上でそんなにたくさんのフォ

ロワーをもっていません。いわゆる、フォロワー〇万人！のインスタグラマー!!インフルエンサー！　みたいな感じではないし、ＳＮＳで食べていくようなタイプではないです。なので、語りたいのは、ネット上に山積しているフォロワーの増やし方とか、バズり方とか、そういうのではないです。それよりももっと概念的な、「地域づくり」という現場で、その周辺の人たちに向けた発信の仕方についてのお話です。そもそも、**発信＝ＳＮＳではない**ので、まず、そこが注意ポイントですね。

では、またまた僕の失敗談とともに話します。失敗談の宝石箱や〜。

僕らは事業を始めたばかりの頃、近所の方への時々の挨拶と、ＳＮＳでの発信を頑張っていました。そして現場で試行錯誤し、「オセロの角理論」とかいう、いかにもそれっぽい名前をつけた独自の理論を大切にしたり、ＳＮＳでいろいろな人に知ってもらうことを意識してきました。

ただ、そこに違和感がありました。近隣の人よりも、外の人のほうがえんがおに詳しいことへの違和感です。

ＳＮＳでの情報発信はどうしてもスピードが早いので、ＳＮＳを見ていない地域の外の人のほうが詳しい、という事象が起きてしまいます。日々の小さな出来事も、「誰を笑顔にしたか」も、外の人のほうが多く知っている。結果、地域密着と言っておきながら、地域の人たちよりも、外の人たちに応援されている感覚のほうが強い。それが違和感でした。

これは、今でもまだ完全には解消できていないし、とても難しいことだと思います。会員さんの数で言っても、地元の人はほぼいなくて、外の人がほとんどです。地元の人を会員にしようとしていないこともありますが。すごく難しい話だし、「地域づくりあるある」でもあります。地域で活動している団体が、じつはその近隣の人たちとうまくいっていない、みたいなケースですね。　どちらが悪いということではなく、どうしてもそういうケースは目にしますし、僕らも常に葛藤しています。あるいは、地域づくりとして地域に入っていく上では、地域との衝突は宿命なのかもしれません。なので、地域の人と衝突してしまっている状態を「悪い」とも思いません。「変化」や「改革」と「アレルギー反応」はセットでもあります。それを可能なかぎり避けるためにも、**「仲間ではあるけど身内ではない」距離感**が大切なのだと思います。

実は、最初の頃の僕たちは、独りよがりの団体になりかけてしまっていました。「地域の人たちが何人か集まっている場所」にはなっているけれど、2軒先のおばあちゃんは一回も来たことがない。最初の挨拶以来、ほとんど話したこともない。そんな方が、まだまだ周りにいたんですね。

もちろん、みんながえんがおに来なきゃいけないわけではありません。100%全員に応援してもらうことも、やはり不可能でしょう。「あの人がいるなら私は行かないわ」みたいなことも、あるあるですからね。ただ、こうして活動しているのに近所の人と話したこともないとか、近くの人たちに全然応援されていない、っていうのも悲しいですよね。

改めてその時のえんがおを客観視すると、「地域の一部の人だけに応援されている団体」だったと思います。そこで話し合ってできた動きが、「広報誌を配る」です。めっちゃ単純。単純なのですが、すごく大切だったのだと、後で気づきました。

鍵は「配る」です。つまり、**近隣の人たちと、定期的に顔を合わせる**ことになります。すると、そこでいろいろな話ができます。「最近、頑張ってるわね〜! 新聞見たわよ!」と言われて、意外と見てくれてるんだな、とうれしくなることもありました。

あるいは、「この前、夜うるさかったから気をつけてね」みたいなこともあります。これはすごくありがたくて、言ってもらえないとわからないこともあるんですよね。自分たちが気づかないところで、実は周りの人たちに迷惑をかけてしまっていたケース。相手側も、わざわざ事務所に来て言うのは大変なので、言わないまま少しずつ不満が溜まってしまう。それが、気づかないうちにわだかまりになってしまうんだと思います。そこで、定期的に「広報誌を配りに来ました」というきっかけで顔を合わせるんです。僕らの場合は「えがお通信」なるものを3か月に一回配っています。

近隣の方々だけではなくて、生活支援事業の利用者さん、普段関わっている行政の窓口やケアマネさん（高齢者に社会のいろいろなサービスをつなぐ人たち）にもお配りしています。広報誌はあくまできっかけです。**「定期的に顔を合わせる機会をつくることが大切**なんです。「発信」を考えると、まずは外に目が行きがちです。でもやっぱり、一番の発信は身の回りの人。近隣の人に向けてなんだと思います。

これは、発信と言ってはいますが、「経営戦略」とも言えます。仕事の依頼も、やっぱり顔が見える人のほうが頼みやすいですよね。何度も会っている人。話したことがある人。人柄がわかる人。

生活支援の利用者さんには、定期的に広報誌を配ることで僕らのことを思い出してもらっています。行政の担当の方や、ケアマネさんも同じです。広報誌を配るきっかけを使って、顔を合わせ、話をして、僕たちのことを知ってもらう。小さな企業にしかできない、地域密着だからこその戦略です。

えんがおの
えがお通信
vol.13
2021年7月発行

ごあいさつ

まもなく梅雨入りになりますが、皆様いかがお過ごしですか？雪も最近増え、地元宮城では珍しかったものの、今は慣れてきました！最近あの有名雑誌「婦人公論」に載ってウキウキな門間でした！

スタッフ 門間 大輝

今月のお手伝い紹介

【紹介①】暖かくなると、大掃除の依頼も増えてきます。本当はきれいにしたくても、自分ではできずに悩んでいるお話もよく聞きます。そんな時もご相談ください。一緒に、お掃除・整理をお手伝いいたします。
お掃除するものが沢山ある時には、多人数の若者でお邪魔するかもしれません（笑）。

【紹介②】最近は「ワクチン接種」のための依頼も多くなっています。
外出同行の際には、よく新しい道などを通らせていただきます。外出の機会が少ない方の場合、そういった変化を見るだけでも喜んでいただけるので、こちらも嬉しい気持ちになります。

いつもお世話になってます。使い心地最高です！これからもよろしくお願いします。

ご依頼内容
大掃除　規模によって変動
外出同行　¥2,000-/時

手続き代行　¥2,000-、イベント手伝い（運搬）¥20,000-/3時間、家具運び　¥1,000-/30分

男性棟「つむぎ」オープン！

2020年2月にオープンした精神・知的障がい者向けグループホーム（女性棟）に続き、7月に男性棟「つむぎ」がオープンします！ありがたいことに、オープン前に満員になりました。
これでえんがおの空き家活用は6軒となります。引き続き、地域資源を活用しながら、子供から高齢者まで、そして障がいの有無に関わらず全員参加できるまちづくりを目指していきます。

【その他】
・「婦人公論」さんにて取り上げていただきました。
・トヨタ財団国際助成プログラム　制作提言公開シンポジウムにて、日本の事例として発表させていただきました。

【新型コロナウイルスの発生について】
2020年5月28日に、当法人関係者1名の新型コロナウイルス陽性が発覚しました。その後、同居者1名、濃厚接触者1名の計3名の陽性が確認されました。幸い、高齢関係者への感染は見られませんでした。保健所の指示に従い、濃厚接触者への検査の実施・業務休業を行い、現在は各業務順次再開しております。
関係者・応援してくださる皆様には大変ご心配をおかけいたしました。今後も、感染対策をより強化しながら日々を積み重ねてまいります。

サポーター紹介

プロフィール
・氏家　綺莉（うじいえ　きらり）
・大学生
・えんがおサポーター

えんがおのおかげで、コミュニケーション能力が付きました。また、将来の夢について深く考え、自分なりの将来像を描く事ができました。えんがおとの出会いは私に取って本当に大切な出会いです。これからは微力ながらもえんがおの役に立てるよう頑張りたいです。

一般社団法人
えんがお
0287-33-9110
【受付時間】10:00~18:00【定休日】水曜(※土日営業)【住所】栃木県大田原市山の手1-9-10

えがお通信

これは、ビジネスとして何かをやっていく上で不可欠な戦略です。ビジネス用語で「ランチェスター戦略」と言います。ビジネスとして始める方は、ぜひ調べておくといいと思います。個人的には、栢野克己さんの本がおすすめです。『〔新版〕小さな会社・儲けのルール――ランチェスター経営7つの成功戦略』（竹田陽一、栢野克己著、フォレスト出版、2016年）

ただ、そうは言っていても、今でも僕たちのことをよく思っていない近隣の方は少なからずいらっしゃると思います。なるべく理解してもらえる努力をしていますが、僕の力不足で至らないことも多くあります。そういった部分を強くみられてしまうと、良くは思われないのかもしれません。そんな時は、ただただビールを飲むのです。差し入れでビールとレモンサワーをくれる人を愛してます。

ちなみに、もっと毎日できる、近隣の人向けのオススメの発信があります。それは「あいさつ」です。新しい団体や施設が急に地域にできて、そこに知らない人が出入りしている。地域の人は不安です。その不安は、ごくごく普通のものです。でも、そこで出入りしている人が毎日元気に「こんにちはー！」とか「暑いですねー！」とか、笑顔で挨拶していたらどうでしょう。詳しく知らない人も「悪い人たちではないんだな」と安心しますよね。

えんがおに来てくれる学生は多くいますが、必ず「地域の人に元気にあいさつ」をお願いしています。おそらく、周囲の方々はえんがおに関わっている若者を「悪い人たちではない」と思ってくれています。

SNSが影響力をもっている社会なので、どうしても、発信を語るときには「SNS」を外せません。だけど、そのもっともっと手前で大切なことがあります。それは、日々の挨拶ができているかとか、現場で目の前の人を幸せにしている事実があるか。あるいはそういった「想い」があるか、です。

もっと言えば、僕は、「いただきます」とか「ありがとう」とか、そういった所作を丁寧に行っている人には、誰もかなわないと思っています。

日々の挨拶が、「丁寧」にできる。そういう所作が「信用」につながる。当たり前で、今の時代に大切なことを、改めて一緒におさらいしましょう。

「人助けは自分のためにやるもの」
自分を好きになるために生きる

若いうちからこんな本を読むような「変態」になってしまった、希有な若者のみなさん。学生か社会人かわかりませんが、お疲れ様です。

みんなは、きっと素敵な人生を歩みますよ。だって、こんなゆるゆるの文章を、ちゃんとここまで読んでるんですから。その「ヤバすぎるもの好きさ」と「包容力」があれば、もう大丈夫です。なんだって乗り越えられるでしょう。

このメッセージでは、よく若い人から聞かれることについて答えます。それは、「嫌になることないですか?」「モチベーションの原点はなんですか?」的な質問です。答えは「嫌になることはあるけど、モチベーションがなくなることはほぼないかな」というのと、モチベの原点は「自分が楽しいから」です。

そもそも、題名にもしていますが、人助けって「自分のために」やるものだと思っています。僕も、自分のためにえんがおをやっています。自分のために、おじいちゃん、おばあちゃんを助けています。もう少し詳しく話します。

みんなは、どんな「人生」を送りたいですか？　職業などの「何になりたいか」ではありません。どんな人生を送りたいかです。人生は毎日の積み重ねなので、もっと細かく言えば、「どんな毎日を過ごしたいですか？」という質問ですね。どうでしょう？

僕は「充実した毎日を過ごしたい」と思っています。

え？　そんな回答でもいいのかって？　いいんです。こんな感じで、抽象的でいいので、みなさんはどんな生活をしたいかを教えてください。

僕は動いていないと気が済まないので、何かしていたいタイプです。何もない一日は苦痛です。一日が充実していないと「つまんな！」って思ってしまいます。そんな僕は、どうしたら充実するかを考えました。それで、人を助ける仕事であれば、充実感が得られる、と思ったんです。それがきっかけで「作業療法士」を目指すことになりました。

地域の課題に直面して今のえんがおに至りますが、軸は変わりません。人の役に立つことをすれば、感謝される。感謝されると、うれしくなる。心が満たされて、充実する。これは、「感謝されると自分もうれしくなる」という「人の本質」からきています。人を助けることが、結果自分の「満足感」になって返ってくる。人を助けることが、自分のためになる。そんな感じ。

若者へのメッセージ

だから僕も、自分の「満足感」や「充実感」のために人助けを仕事にしています。自信をもって言います。僕のエゴなのです。なので、嫌なことがあっても続けられるし、モチベーションも持続するんです。だって、自分のためだもん。

この話。ぜひぜひ、みんなには覚えててほしいんです。みんながこれからいろいろなことをやる上で、一番大切な話です。

簡単に言ってしまえば、「YOU、楽しんでる?」です。

「自分が楽しいからやってる」に勝るモチベーションなんて、何もないんです。 逆に、どんなに世のため人のためでも、自分が楽しくないなら、やらない方がいいんです。だって、自分自身を幸せにできていないからです。時々、自分を犠牲にしながら、なんとか人のために頑張っている人がいます。めちゃすごいですが、僕にはできません。みんなにも、できません。いや、できちゃうかもしれないけれど、できなくていいです。

どんなに苦しいテーマでも、それを「自分だけは」楽しんでやるんです。楽しんでやる人のもとに、応援が集まります。何か始めた時。もう始めている時。定期的に自分に問いかけてください。「楽しんでるかどうか」を。「自分が楽しいからやってる」「自分がやりたいからやってる」が最強です。じゃあ、どうしたら楽しめるのか。そのために考えてください。

「何になりたいか」が最初じゃないんです。「どうありたいか」が最初なんです。

まずは、「どんな毎日を過ごしたいか」を考えてください。充実していたいのか、笑っていたいのか、刺激的なほうがいいのか、変わりなく安定した日々が心地いいのか。そして、「どんな人になりたいか」を考えましょう。理想の人物像でもいいです。優しい人、人を笑顔にできる人、包容力のある人。なんでもいいです。

そこまでいって初めて、じゃあそれにつながる「職業」ってなんだろう。と考えてください。わかりやすくワーク形式にしてみます。よかったらやってみてね。

①どんな人生（毎日）を送りたいかを書いてみる。
（自分にとっての「幸せ」の基準（価値観）を見つける）

例）笑っていたい・充実していたい・安定した生活を送りたい、など

②そのためには、どんな人だったらいいでしょう。「どんな自分でいたいか（ありたい自分像）」を考える。

例）優しくできる人・話を聞いてあげられる人・周りを元気にできる人、など

③それに沿った生活を送るためには、どんな職業が合うのか。羅列してみる。

例）いつも笑ってられる人生がいい。そのために、ちょっとしたことにも喜びを感じる人になる。そのための職業として、人を喜ばせる仕事につきたい。
結婚式場・遊園地・居酒屋・医療・福祉などなど

基本的な、考え方の順番ですね。個人的には、こういうのを全小中学生にやってほしいです。

僕の場合は、それが医療福祉の仕事でした。だから作業療法士として働いていた時も、葛藤はあったけど楽しかったです。いまは、めちゃくちゃ楽しいです。楽しんでお金もらえるんだから、最強でしょ？　僕の尊敬する人たちも、大変そうではあっても、つらそうではないです。みんな、その仕事をすることで「ありたい自分像」に近づいているからだと思います。

そうなんです。まず、「ありたい自分像」が見えているか。ここが大切なんです。目的地が見えていないと、日々を過ごしていても、どこに向かっていいかわからないもんね。

本当は、社会にもっともっと、「あなたはどうしたい？」とか「どんな人になりたい？」って聞いてもらえる時間が多ければいいのにね。家庭でも、学校でも。「こうあるべき」ばっかりを提示されて、それに沿うように頑張ってきた中で、ある日急に、こんなこと聞かれても困っちゃうよね。聞かれてしんどかった人、ごめんなさい。

でもね。ゆっくりでいいので、考えてほしいです。自分がどんな人間になりたいか。そして、できれば、それに沿った仕事についてください。そうすれば、大変でもつらくはないです。少しつらくても、全部をやめにしたくなるようなことは少なくなります。

それと、この話に関連してもう一つ、大切なことを伝えます。「自分を好きになる」ということです。

自分を好きになるために生きる

僕は大学生の頃まで、自分のことがとても嫌いでした。自分のいろいろな部分が嫌いでした。人に心を開かず、一定の距離で当たりさわりなく生きていました。

ある日友達から、「なんでそんなに心開かないの?」と聞かれ、自分でも衝撃でした。そうなのか。だから自分には、友達はいても親友はいないのか、と気がつきました。なので、自分の「心を開けない」部分が特に嫌いでした。だけど、心の開き方がわからなかったんです。それから心を開いて話ができるようになるまで、2年くらいかかりました。なので、僕が人に心を開いて素で関われるようになったのは、社会人になってからです。ずいぶん葛藤したのを覚えています。

そして、です。取り繕うのをやめて、心を開いて素で関わるようになったら、超楽なんです。人付き合いが。あんなに大変だったのに。これにはびっくりしました。ある日気づいて、びっくりしました。後からわかったのですが、「ありのままで生きる。素の自分で生きることが、一番幸せにつながる。これ、お釈迦様もキリスト様も同じこと言ってるらしいです。「人の幸せ」を追求すると、必ずそこにいくのだとか。お釈迦様でもキリスト様でも大仏様でもいいけど、もっと早く言ってよね。

じゃあ、ありのままで生きるために、どうすればいいかっていうとですね。わかりません。そこまでは(笑)。

それは、人それぞれなんだと思います。一つわかるのは、**「ありのままの自分でいる」ことをがんばる**ということです。誰かと無理に関わったりしない。そのままの自分を大切にする。合わない人は合わない。その分、合う人、わかってくれる人をとにかく大切にする。そんな感じです。あるいは、訓練でもあります。みんな少なからず、筋トレはしたことあるよね。あれと一緒です。

自分をほめる訓練をしてください。練習しない人に、自然と身につくことなんてありません。「今日は自分これを頑張った！　えらい！」とほめる習慣です。一日一個でいいから、自分を毎日ほめてください。今日生きたら偉いんです。朝起きたら偉い。だもの、今、夜中に一人でパソコンに向かってぶつぶつ言いながら文書を書いている僕は、もう神様です。あとは、めっちゃ他人任せですが、やっぱり『嫌われる勇気―自己啓発の源流「アドラー」の教え』（岸見一郎・古賀史健著、ダイヤモンド社、2013年）などの本を読むのもいいと思います。何にせよ、頑張らないでいられるように、頑張らなきゃいけないんですね。

ありのままで生きる重要さが、もう一つあります。「成長」の定義についてです。僕が抱いている成長の定義があります。それは**「生まれもった自分の武器を自覚し、生かせるようになること」**です。

「生まれもった自分の武器」です。新たに身につけたものじゃないんです。

繰り返しますが、知識や技術を身につけることも大切です。でもそれは、鎧でしかありません。

鎧はあったほうがいいけどね。でもそれ以上に、生まれもった武器が重要です。それは、みんなにも必ずあります。生まれつきよく笑う。生まれつき人見知りしない。生まれつき慎重。大雑把。きれい好き。完璧主義。なんでもいいです。要は、訓練もしていないし、頑張ってもいないけど「なぜかできてしまうこと」です。これです。これなんです。これを見つけてください。

この「なぜかできてしまうこと」を自覚して、生かせるようになることを、僕は「成長」と捉えています。

魚がどれだけ一生懸命努力して陸で走れるようになっても、生まれつきなぜか早く走れるチーターにはかないません。逆にチーターは、どんなに努力しても、魚に水中で勝てません。努力は、自分に合った環境を選ばないと報われないんです。

だから、生まれもったものじゃない部分を一生懸命伸ばして鎧にしても、本当の「成長」につながらないんじゃないかと思うんです。自分の「なぜかできてしまうこと」を大切にすることは、自分にとっての適した環境で生きることです。そうして、自分の生まれもった武器を生かせるようになれば、もう大丈夫です。あなたは自分のことを好きになれます。自分のことが好きなら、世界のどこにいても、幸せになれます。

少し長くなった気もするけど、ゴールを間違えないでね。前述の「若者へのメッセージ」でも言ったけど、みんなのゴールは勉強ができるようになることでも、立派な人間になることでも、安定した職場に就職することでもないからね。みんなのゴールは、自分の生まれもった武器を自覚して、生かせるようになって、自分を好きになることだからね。

抽象的な話ばかりになっちゃったけど、頑張らなくてもできることを大切にして、それで勝負してください。そうすれば、あなたは誰にも負けません。

あのわけのわからない本読みました！って言ってくれるあなたとお会いできる日を、一緒に飲める日を、楽しみにしています。

会員100人突破記念でなぜか
金髪にしたスタッフ門間

ここ最近休みなく働いていたため、デスクワークのみの日の昼食時にビールを飲むスタッフ２名。

Part 4

人を巻き込む

「余白力」の自然発生を意図する

繰り返しになってしまうので、めっちゃ自慢するなこいつって感じだと思うのですが、えんがおの強みはたくさんの人が集まってくれるところです。地域サロンには年間延べ４０００人以上が集まります。「活動に参加したい！」と言って来てくれる学生は年間延べ１０００人以上います。

他にも、数えきれない関係人口の方々に支えられています。このＰａｒｔでは、僕らが普段人を巻き込むために意識していることや、考えていることを「全体」と「ワカモノ」に分けてお話しします。

それで、たくさんの人を巻き込んで活動をしたい！と思った時に欠かせない土台の考え方があります。いつも通り結論から言うと、それが**「余白力」**です。余白を生む力、ですね。

ある時、関わっている高校生がこんな話をしていました。

「有名なまちづくりの組織をいくつか訪ねて来たけど、なんか違うんです。やってることはすごいんだけど、入りにくかったというか……」

「作業に完璧を求められたり、みんな、すごいちゃんとしていたり……」

うろ覚えですが、こんな感じの話でした。すごいのだけど「なんか」違う気がする。やってることは興味があるんだけど、「なんか」入りにくい。

この「なんか」には、いくつかの要素があると思いますが、そのうちの一つが**「隙がない」**です。**ちゃんとしすぎて、あるいはちゃんとしようとしすぎていて、関わる余白がない**。自分の入れるようなスペースがない人・組織。こうして考えると、「すごいことをやっている、優秀な組織（人）」と「関わりやすい組織」「人が集まる組織」は、必ずしも一致しないことが見えてきます。

「関わりやすさ」を求めた時に、関わる隙や余白がない組織を見ると「なんか」違う気がするんですね。みなさんも、なんとなく思い浮かぶ身近な例があるのではないでしょうか。すごいし、優秀なんだけど、なんか関わりにくい。入りにくい。そんな感じ。

では、この「余白」って、具体的には何なんでしょう。この余白を理解して、「自然発生を意図して」生み出す力のことを、僕は「余白力」と言っています。これが、多くの人を巻き込む時に大切です。最近まちづくり界隈では「関わりしろ」なんて言ったりもしますね。他者が関わるための余白、的な意味ですね。

「人」単位で考えた方がわかりやすいので、僕のもっているリーダー論とともにお伝えします。

完璧な一色より、不完全な虹色

リーダー論って、理論も本も巻でたくさんあるわけですよ。「○○型リーダー論」とか、「真のリーダーになるためにやるべき10のこと」とか。

ググったら、「未来のリーダーになるために」とかもありました。なんじゃそりゃ。一回未来に飛ぶんですか。「（ワンピースの）ルフィ型リーダーになれ！」的な話もありました。手足をゴムのように伸ばす練習から始めるみたいです。

そんなわけで、みなさんは大丈夫だと思いますが、そんなリーダー論に左右されてはいけません。そもそも、こうやってリーダー論を意気揚々と語る人にも、本にも、気をつけた方がいいです。いろんな考え方を吸収して、自分で考えて、試行錯誤して、「自分なりの理論」を見つける。それが大切です。

その吸収の参考になればということで、結局僕も、「意気揚々とリーダー論を語る側」にまわるのです。

本題に入ります。チーム運営において最も大切なことは何でしょう。僕は、**「メンバーのもっている強みを最大限に活かすこと」**だと考えています。そしてそのためには、**リーダーは「不完全」でいたほうがいい**と考えています。「完璧できちんとした人がリーダーになるべき」の考えだと、強いチームはつくれないのです。

図で説明します。Aの図が、完璧な人です。正確には「完璧であろうとする人」

です。この「完璧であろうとする」の部分が、後ほど話の核になります。

隙がなくて、何でもできてしまう。ある種のカリスマですね。僕も何人かお会いしたことがあります。こういう人は、魅力的です。何でもできるスーパーマンにあこがれ、みんなついていきます。Aさんとしましょう。

チームの構造としては、何でもできるAさんがみんなに指示を出します。みんなはそれを遂行します。仮に、そのAさんがもっている色が「赤」だと

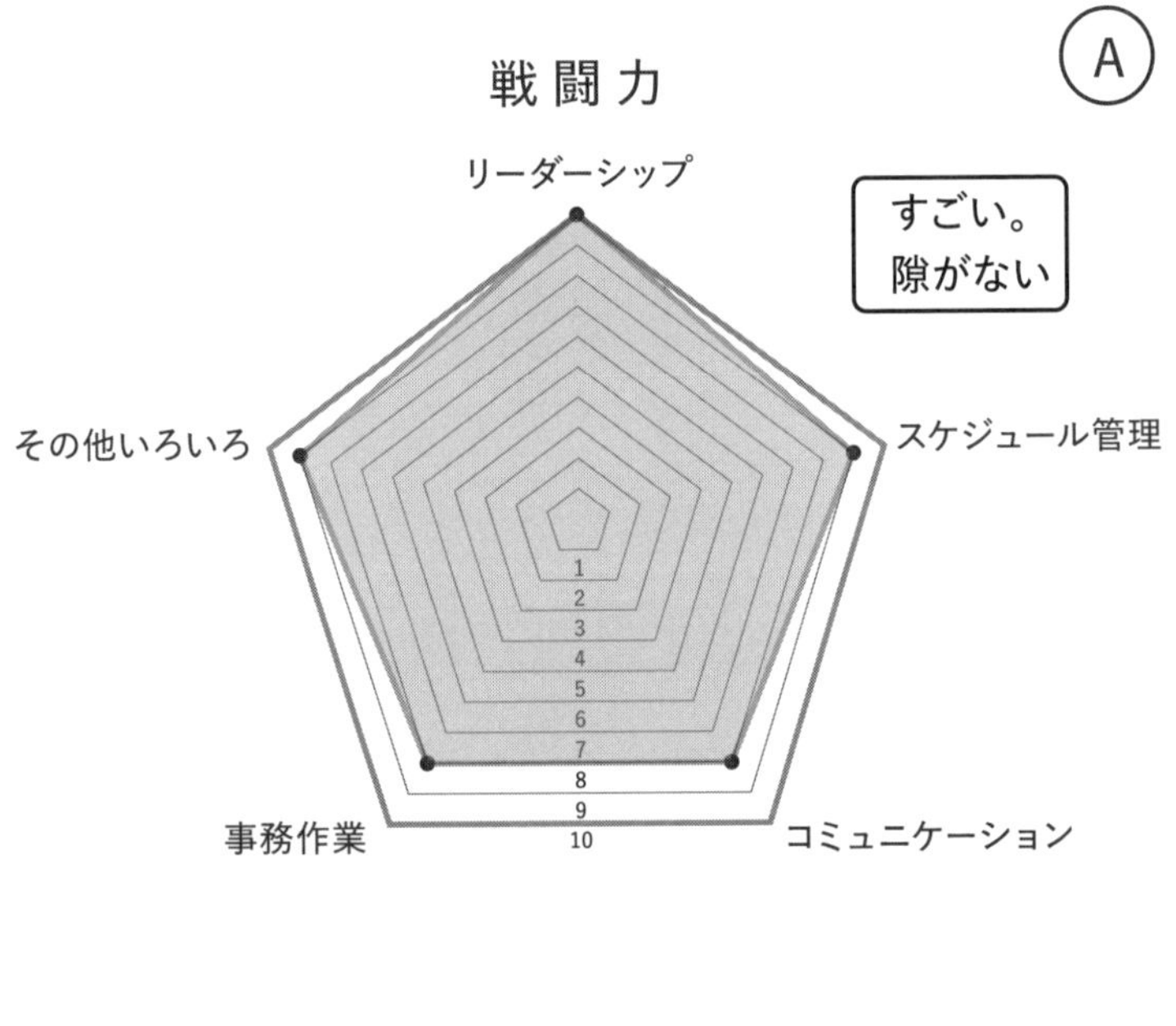

します。すると、チームの色も「赤」になりますね。
これが、少し前まで主流であった「強きリーダー」のつくる組織です。会社の上司なんかも、こういった人物像が描かれていたのではないでしょうか。

でもこれは、僕が思うリーダー像とは違います。僕が思うリーダーは「不完全」であるほどいいものです。図のBを見てください。この人は、できることはできるけど、できないことはできない「まま」のリーダーです。この人の色は……黄色にしましょうか。深

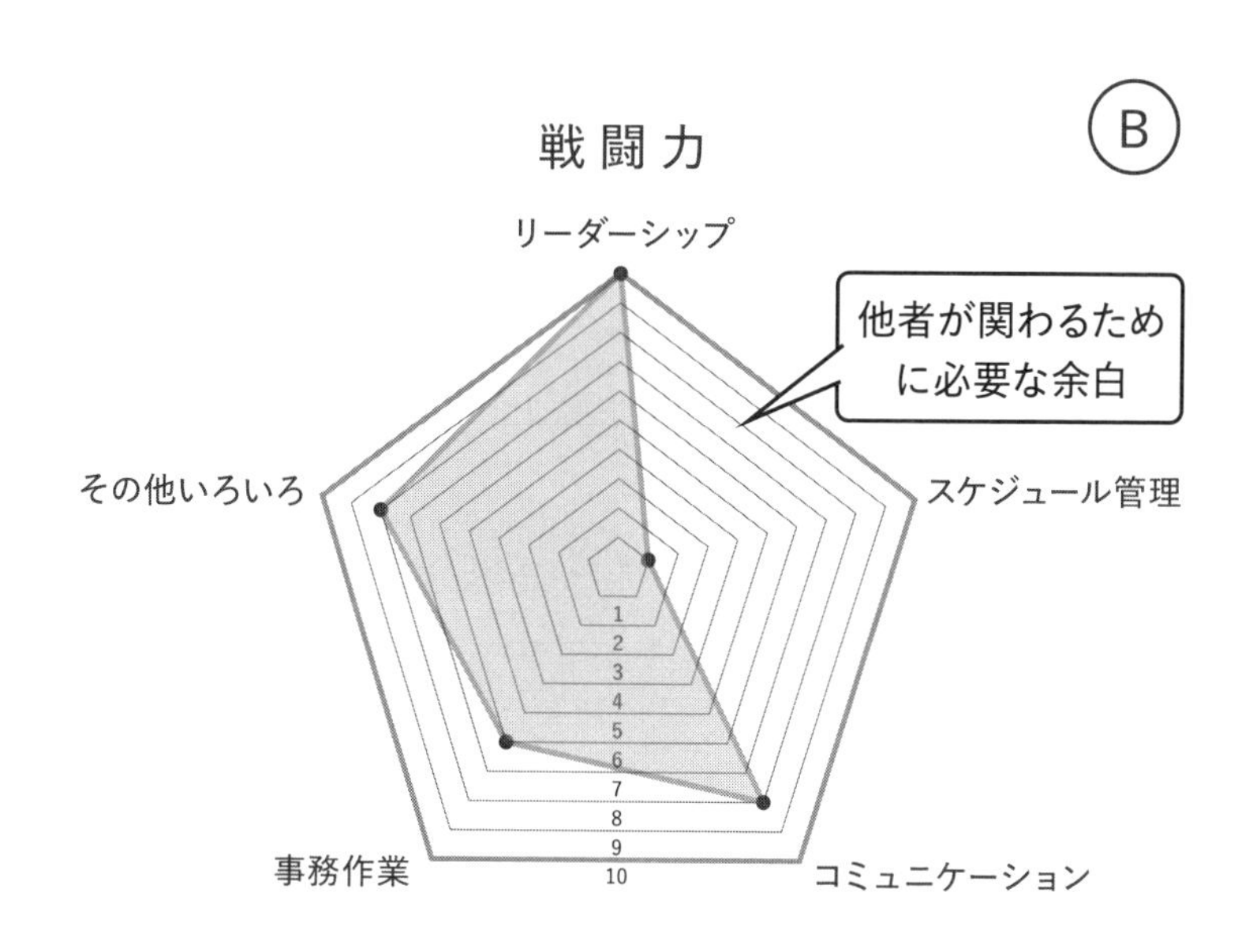

い意図はありません。わかりやすいところで、予定の管理が苦手です。会議を忘れてブッキングしてしまったり、予定を忘れて出かけてしまったりします。いつも何かを忘れて、あたふたしている。

すると、見かねた誰かが（Cさんとしましょう）、代わりに予定を見ててくれます。「もうすぐ会議ですよー！」とか、「今日、会議被ってますけど大丈夫ですか？」と気にかけてくれます。だって、Bさんにはそれができないから。この時点で、Bさんのチームには

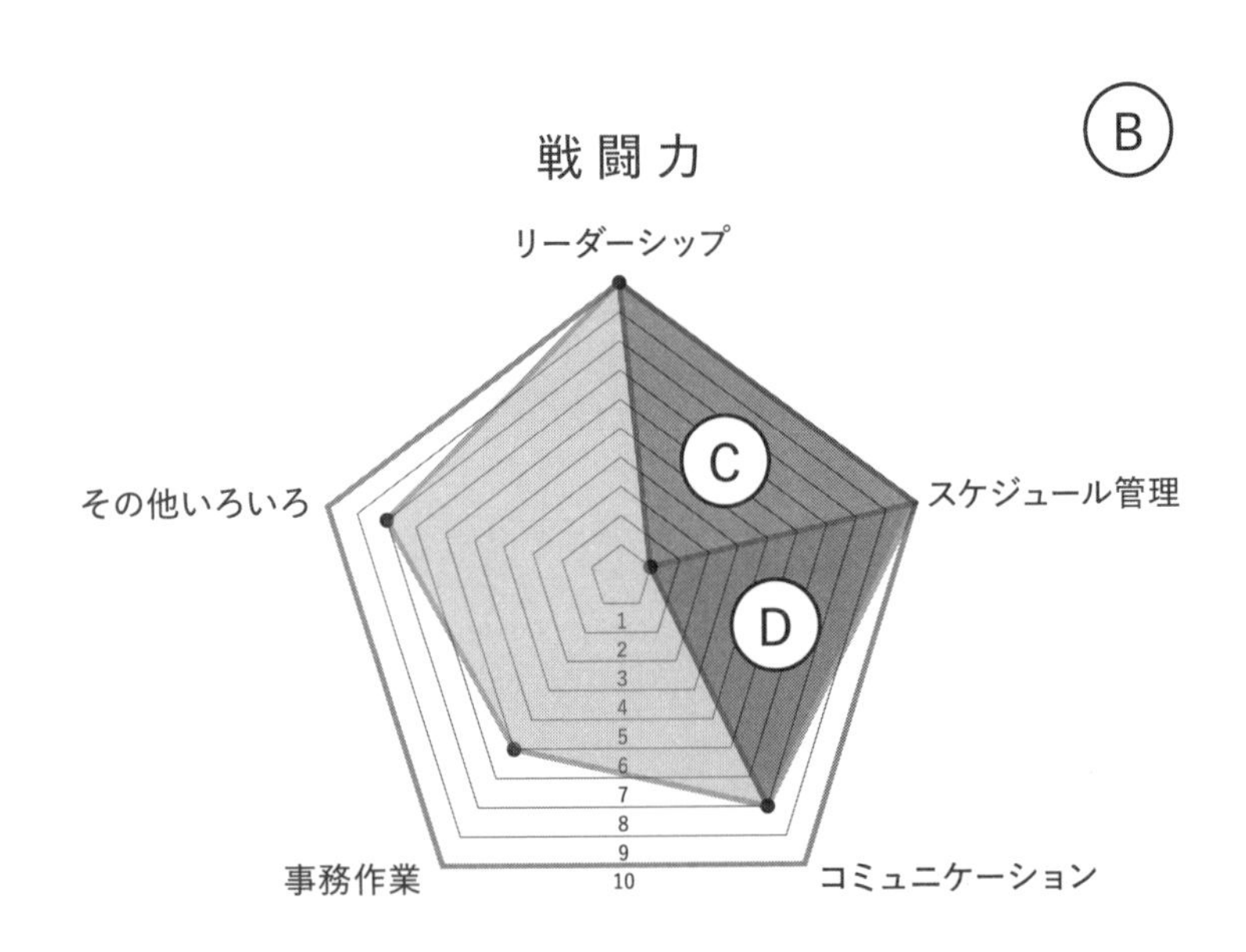

Cさんの色が入ります。2色になりました。でも、Bさんはまだまだできないことをできない「まま」生きています。「そのできないこと」という余白（関わりしろ）に、Dさんの色が入り、Fさんの色が入ります。

Bさんがリーダーを務めるチームは、Bさんができないことがあるおかげで、いろんな人が入り込む「余白」ができたんですね。結果、いろんな人材が自分の色を発揮し合う「虹色」のチームになりました。

これは、あくまでも理屈です。ですが、まずは、なんとなくわかっていることを、あらためて「理論」として理解しておきましょう。**どんなに優れた一色の色でも、虹色のチームにはかないません。**あるいは、時代とともに変化していく「リーダーに求められているもの」が、今の時代にどういった位置に着地しているかを知っておくのもいいでしょう。

Part4のここまでのキーワードをおさらいします。鍵は、Aさんは完璧で「いようとする」人。Bさんはできないことをできない「まま」で生きている人です。Aさんのタイプにも、Bさんのタイプにも、それぞれのメリット、デメリットがあります。ただ、これからの地域づくりに向いているのはBさんです。

Bさんの形は、できない自分を受け入れ、できないことはできないままで、できることを頑張ろうとする人です。そして、できないことは「他者に任せる」強さが必要になります。そこで初めて、いろいろな意図しない部分に「余白」が自然発生し、その余白を、他者が「自分の強み（色）」を発揮する形で埋めてくれます。

少し話がややこしくなってきましたね。すみません。つまり、**「意図的」に、自分の弱みをそのまま開放することで、「自然に発生する」余白**。そこに人が集まる。

一言で言えば、「できないことはできないままで、どんどん人に頼りましょう！」なんですが、それだと安定したチーム運営にはつながりません。「自然発生を意図する」とは、その変化を意図して（理解して）起こす。あるいは起き得る仕組みをつくって、組織の成長を図る、ということです。

他者が入る余白があれば、一時的に混乱しても、リーダーである人の想像を超えた形で、チームは進化していきます。この「想像を超えた」もポイントです。予測できない変化（進化）が起きるチームです。わくわくしませんか？　どんな味になるかはわからないけど、おいしくなるのはわかる！みたいな感じです。

Aさんのやり方はかっこいいんですが、Aさんの想像を超えにくいです。Bさんのタイプは、想像できない変化が生まれていきます。あとは、方向性（舵取り）だけ間違えないように、自分たちの進む道を示す。例えば「誰を笑顔にするための活動なのか」を定期的に振り返る。そんなところだと思います。リーダーの役割は。

リーダー論として語りましたが、これも、「人」として生きてく上でも大切なことです。できることで他者に貢献する。できないことは、人にお願いする。**自己責任論ではなくて、お互いに助け合うことが前提の生き方**が、もっと広がっていけばいいですよね。

「多様性の時代」だからって何でも許されると思わないでよね！
「受容」と「許容」の話

この話をすると、理屈的には、「じゃあ、できないことは何も努力しなくていいんだね！」ってことになります。もちろん、そんなわけではないです。

まずは、やっぱり**自分の「ありたい姿」**なのだと思います。それをイメージできていないと、何が努力すべきで、何がありのままでいていいのかわかりません。自分のありたい姿を考えた時に、成長させる部分と、完璧を目指すのではなくて、他者に任せる部分が見えてきます。

いくら「ありのまま」って言っても、こんな自分は嫌だな、理想と違うな、と思ったら努力したらいいし、そうじゃなければ、誰かを頼ったらいい。ここでも繰り返しになりますが**「自分がやりたいからやる」「頑張りたいから頑張る」**に勝るものなんてないんですね。

僕は、予定の管理や時間管理が苦手です。それはそれで受け入れています。でも、予定を忘れて他人を待たせてしまう自分は「ありたい自分」とは少し違います。だから、予定の15分前にアラームが鳴るアプリなどを使って対策しています。それでも結構予定が抜けちゃうので、周りの学生やスタッフが助けてくれます。

この話は、最近流行の「多様性」の使い方と似ています。「多様性が大切」だから何でも許さなきゃいけない、と言わざるを得ない空気には、みなさんもなんとなく違和感を感じていると思います。僕もそうで、「多様性が大切だから、悪いことをする人でもいい？」「多様性が大切だから、人を悪く言ってもいい？」と言われると、「あれ？ 多様性って何だ？」となります。そんな便利な言葉だっけ。と首を傾げるわけです。

そんな時、とある人の講演会で「受容と許容」の話を聞いて、すごく納得しました。「受容」は受け入れること。「許容」はそれを認めて許すこと。どんな状態の人でも、まずは受け入れる（受容する）。

例えば、お店のものを盗んでしまう人がいたとします。その人の背景には、貧困の問題があるかもしれないし、認知症の問題があるかもしれないし、精神的病気があるかもしれない。多様性を目指す社会の中で、そういう背景をもった人も生きていける社会にしたいですよね。だから、まずはそんな状態の「今」を受け入れる。「受容」する。

ただ、盗むのはもちろん「よくない行為」です。だから、「やってもいいよー！」と許せるわけではない。貧困や認知症などの背景に応じて、やってはいけないことをやらなくて済むように環境を整えていく。「許容」はしない。個人的には、これがすごくわかりやすいです。

「多様性だから、人を悪く言ってもいい？」。ダメです。いまは自分に余裕がなくて、人を責めてしまう。そういう状態にあることを受け入れはするけど、許し（放置）はしない。**受容と許容をしっかり使い分ける。**

その使い分けと、「ありたい自分」という軸をもつ。適切な「余白」をもつためのお話でした。

ワカモノを巻き込むために
あばばばばばばばばばばばば

「若者が多く集まる」について、年間延べ○○人みたいな数字をわかりやすく出してきましたが、もう少し具体的なイメージを共有します。

えんがおには、「運営から一緒にやりたい」という学生たちが20人くらいいます。

「参加者」ではなく、その参加者の募集や企画の立案、運営など、もっとスタッフよりにやってみたい、と思ってくれる意欲の高い人たちです。

彼らを、えんがおでは「えんがおサポーター」と位置づけ、会員制にしながら日々いろいろな呼びかけをしています。ちなみに会費は、入会費５００円で永年有効です。入会金はそのまま活動の保険料に当てています。

家が近い人も遠い人もいますが、暇な時にえんがおの事務所兼地域サロンに来てのんびり過ごしていたり、「何かやることありますか～?」と声をかけてくれたりします。ちょっとした仕事をお願いすることもあるし、荷物などを一緒に運んでもらうこともあります。

例えば、高齢者向けの生活支援事業の依頼が入った時。まず、その依頼が「学生にとって活動体験価値があるか」「どんな体験価値か」を考えます。まあ、体験価値のない活動なんてほぼないのですが。

そして、サポーターのＬＩＮＥグループに呼びかけます。「○月○日、おじいちゃんの家の枝切り、一緒にいく人いますか〜？」。すると、大体3、4人くらい、タイミングがあって、「参加したいと思う学生」が手を挙げてくれます。そうして数人で高齢者宅に訪問する。そんな流れです。

その他、空き家の改修やサロンスペースの大掃除など、ことあるごとに声をかけます。サポーターへの呼びかけの次に、ＳＮＳでの「公開」の呼びかけがあります。こっちは、さらに会ったことのない人が「参加したい！」と言ってくれることも多いです。サポーターのみの呼びかけに留めるか、公開で呼びかけるかは活動内容によって判断しています。また、普段のＳＮＳを見て「活動に参加してみたいです！」と連絡をくれてつながるケースもあります。

一回来た学生が、本人の意思でもう一回くると「リピート」としています。えんがおの学生リピート率は、95％です。

サポーターはさらに、「えんがおゼミ」でテーマ別に防災プロジェクト・ベンチプロジェクト・寄付プロジェクトに分かれ、いろいろなことをやっています（参加は自由）。そうして、日々一緒に活動してくれる学生の活動体験者数を計算すると、年間延べ1000人以上になります。年齢層は高校生から大学生。社会人の人もいます。若者と言ったり学生と言ったり、主語がぶれているのはそのためです。「ワカモノ」とカタカナにしているのは、何となくそれっぽくてかっこいいからです。

市外の大学生も多いです。なので、「近くに大学があるから成り立つモデル」、ではありません。どこでも可能です。こんな話をすると、「最初の接点をどうもつか」、「どうやって募集するのか」といった質問になるのです。

そうですよねと。そこですよねと思って、丸一日かけて頑張って書いたんですよ。僕が思う、学生を活動に巻き込むための話を。そして、やめました。**あばばばばばばばばばば**ってなってやめました。

だって、なんか違う感じがするんですよね。そこはノウハウじゃないだろうなーと思って。いや、結構いいこと書いたんだけどな……。

そんなわけで、ちょっとここ最近、真面目なトーン?だったので、一回ちゃんとはっちゃけてお話しします。「どうやったら活動に若者が参加するか」「どうしたら巻き込めるか」の回答です。

それはですよ。そもそもです。そもそも、その活動に**「学生が参加する価値がありますか?」**ということです。だって学生ですよ。一分一秒が超貴重なんです。いや、学生じゃなくてもそうだけど。学生の時間って本当に貴重だし、大切なんだと思うんです。僕も、その時間を奪っていることがとても怖いです。

僕、ラーメンが好きなんですけど。おいしくないラーメン屋さん、みなさん行かないじゃないですか。学生も、おいしくないラーメン屋さん行かないし、体験価値のない活動には参加しないです。ボランティアだから、子どもが貧困で苦しんでるから、ゴミが落ちて環境が破壊されているから、学生も参加して、じゃないんです。**彼らの貴重な時間を、「社会性のみ」で奪わないでください。**

子どもも一緒にみんなで空き家改修

とあるボランティアに活動に行っていた学生は、こんなことを言っていました。

「はまさん、モチベーションが続かないんです。すごく社会に必要な活動なのはわかるんですが、職員さんたちの空気がいつもギスギスしていて……。居づらくて」

「学生への声かけも、結構きついんですよね。悪気はないと思うんですけど……」

僕は、「辞めたくなったら辞めていいと思うよ」と言いました。

あばばばばば、の正体、伝わりましたでしょうか。学生が来ているのに、職員さん同士でギスギスしている団体が、いくら細かいノウハウを語ったって、意味ないんです。その団体が、ＳＮＳを上手に使ったところで、学生を名前で呼ぶようにしたところで、学生は集まりません。そもそものところに気がつかないといけないんです。

この場合、団体側の**「サービスを提供する相手（顧客）」は二つ**だと捉えるべきです。**一つは、貧困で苦しんでいる人や環境。守るべき相手です。**でも**もう一つは、「活動参加者」です。**今の話の流れでいうと、学生ですね。双方の満足度を高めるのが、実施団体（人）です。だから、細かいノウハウはあるけれど、そもそもその活動に学生にとっての価値があるかどうか、が重要なんです。

自分だったら、その活動参加したいか。居心地のいい空気感なのか。僕たちもまだまだだし、失敗ばかりだし、学生にごめんって思うこともたくさんあるので偉そうなことは言えないのですが。「どうしたら参加者が満足してもらえるか」「どんな関わりであれば、成長につながるのか」「声をかけるのか、あえてかけないのか」を考えるわけです。

あー。すっきりした。そうですよね。そもそものこういう話をするべきでした。

さようなら、丸一日かけて書いた細かいノウハウよ……。

とはいっても、僕だけすっきりしても仕方ないので。今お話ししたことを前提として、少し自分の考察を話した後に、ちょっとだけノウハウも話します。あーすっきりしたー。

変わったのは「ワカモノ」ではなく、「地域の環境」

知らないおっちゃんが世界を救う

さて。僕の考察ベースになるので、少しだけ「随筆」みたいな文章になります。
まず、今のワカモノが生きる社会背景を一緒に考えましょう。

当然ですが、時代は変化します。ワカモノが育つ環境も変化します。いい変化もあればよくない変化もありますね。いい変化といえば、衣食住が豊かなことでしょうか。テクノロジーも発達して、生まれた時からたくさんの情報に触れられますね。よくない変化も、きっと視点によっていろいろ出てきますよね。スマホいじりすぎ問題とかね。

今の若い子たち。10代から20代の人たちの多くは、基本的に「自信がない」ことが多いです。これ、本人たちは当たり前のように「自信がない」んです。「若者」と大きな主語で括って一概に語るのも本当はよくないのですが、わかりやすさのためにお許しください。

こんなデータがあります。

満13〜29歳までの日本の男女で、「自分自身に満足している」という質問に「そう思う」「どちらかと言えばそう思う」が45・1％。韓国、アメリカ、イギリス、ドイツ、フランス、スウェーデン等の諸外国の回答と比較すると、もっとも低い。さらに、2013年度の調査からも低下している。（令和元年版『子ども・若者白書』内閣府）

このデータを簡単にまとめると、**他国と比べて日本は「若者が自信をもちにくい国」だし、「どんどん自信がもてない国になっていっている」ということになります。**確かに、現場で見ていても、その実感はあります。

それで、どうしてそうなのかを「地域」に絡めて考えてみました。見えてきたのは、「知らないおっちゃん」の重要性です。おっちゃんじゃなくてもいいのですが、わかりやすくおっちゃんに登場してもらいます。

例えば僕が子どもの頃は、知らないおっちゃんが、かなりの高確率で柴犬を引き連れながら「もうすぐ雨来るぞー！　気をつけて帰れよ！」みたいな声をかけてくれました。川で遊んでいる時には「あの辺の藪にはマムシがいっかんな！　近づくなよ！」と言われたこともありました。

そういった、家族以外にも「自分の存在を心配してくれる人がいる」という感覚が、そういう日々の声かけで、潜在意識の中に刷り込まれていくのではないでしょうか。その小さな積み重ねで**「自分はここにいていいんだ」**と、言語化できない、心の深いところで感じていくのだと思うんです。

そして、そういう言葉としては表現されにくい、**誰かに心配されているとか、気にかけられている、みたいな体験の積み重ねが、数年後に自分自身への「自信」につながる**のではないかなと考えているのです。

今は、そういう声かけはどんどん少なくなってしまいました。学生に聞いてみると、家族と学校以外の人との関わりはほぼないそうです。若者が自信をもてない要因はきっとたくさんあって、僕の考えなんて、無数で複雑な要因の内の一つなのだと思います。でも、きっと地域のそういうつながりが子どもたちに、若者たちに、「あなたの存在を受け入れている」というメッセージになっていたんですよね。

今、そういう一つひとつが削がれてしまっているこの時代に、この環境下で「自分はここにいていい」と思って、「自信をもつ」ってすごく大変なことです。若者を巻き込みたいと思ったり、彼らと一緒に何かをやりたいと思った時に、まず彼らのもつ背景を「想像する」ことも大切です。そうしないと、的外れな声かけになってしまいます。

今も昔も、「今時のワカモノ」自体は変わっていなくて、みんな超素敵ですよ。優しいんです。彼らを取り巻き育てる「環境」が変わっているんですね。そうして、自分を「発揮」しにくくなっているのだと思います。

だから、僕たち大人が彼らと関わるときは、変えようとしたり、心配したりしてリスクを回避させたりするべきではありません。**それでは、「自信」につながらないから**です。根本的なところに届かないからです。

リスクを背負って挑戦し、失敗をして、また挑戦して、やっと成功する。その中でしか、自分を信じる力はつかないんです。彼らが安心して挑戦・失敗できる環境や自分を発揮できる環境をつくることを、僕たちも試行錯誤しながら意識しています。

若者を巻き込むために やるべき10のこと

こういう言い回しは、なんか本っぽい

細かいノウハウは何だかしっくりこなかったので、箇条書きにします。でも、そもそもとして、学生にとっても魅力的な活動をしていれば、そしてそれを発信していれば、勝手に学生は集まります。

なぜならば、彼らは彼らで学べる環境を探している、意欲的で行動力のある存在だからです。学生に限らずですが、「参加してほしい層」を「労働力」ではなく、「満足させたい相手（顧客）」と捉える意識があれば大丈夫です。

以下、えんがおが学生・若者を巻き込むために意識しているポイントです。

①活動の「体験価値」を高める。
②余白をつくる。
③存在を受け入れる（名前を呼ぶ・個人の物語を捉える・強みを見つけて言語化するなど）。
④信じる。活動に来ている時点で、もう最強。信じる。任せる。
⑤放置する。
失敗できる環境こそが価値。間違っていても正さない。失敗してもらう。常に、付かず離れずの距離で見ている。失敗して自分で気づき、学ぶ。その過

程を見守る。相談には乗る。
⑥本人の変化を本人より先に捉えて、言語化して手渡す。
⑦参加者（学生）よりも自分が楽しむ。
⑧活動の社会的意味を伝える。なぜ、その活動がなければいけないのか。それに対してどんな解決案を提示しているのか。
⑨環境のせいにする時は声をかける（気づけるような問いを投げる）。自分では気づけないスパイラルに入っているのであれば、嫌われてもいいからそれを伝える。
⑩10個もなかった。だめなところ見せる。②と被った。

どうでしょう。この辺は、小手先に近い気もします。相手（活動の参加者）を満足させようと思ったら、自然と出てくることかもしれません。こうして偉そうに言っても、僕の声かけで傷つけてしまった人もいるだろうし、数年後に「あの時、言ってたことがやっとわかりました」って言ってもらえることもあります。失敗の繰り返しです。僕たちも。

高齢者も学生も、うまく関われた人のことは、正直そんなに思い出しません。うまく関われなかった人の顔は、定期的に思い出します。「もっと、こうすればよかった」と後悔や反省をします。**それが人と接する仕事をする、ということ**だと思っています。

それっぽく並べた10個の中で、特にお話ししたいのが、**⑥本人の変化を本人より先に捉えて、言語化して手渡す**。です。僕らは、学生の変化を、言語化して手渡すことを大切にしています。ほめる、よりもう少し深めです。

例えば、電話が苦手だった学生がいました。彼は、「自分なんて」の意識も強くて、電話をお願いするととても嫌がりました。そんな彼が、活動の中でおばあちゃんたちにたくさんほめてもらって、少しずつ、「自分も悪くないな」と思えるようになった頃。電話をお願いすると、当たり前のようにかけてくれるようになっていました。今では自分から「あ、じゃあおれ、かけますね〜」と言ってくれます。

この変化、すごくないですか？　でもこれ、本人は「変わった」って気づかないんです。だから、周りがその変化を見ておくんです。そして、ちゃんと「言語化」して手渡すんです。あんまり言葉にしない、慎ましくて奥ゆかしくて趣のある、いとおかしな日本人らしさは一度置いておいて、ちゃんと言葉で伝えてあげることが大切です。それでやっと、わかるんです。自分は「成長」できること。変わっていけること。だから、もっと頑張りたくなるんですね。

この「成長」の解釈も大切です。「若者へのメッセージ②」でもお話ししているのですが、別に彼が変わったわけではないんです。**「もともとできる」ことが、いろいろなものに抑圧されて、それを「発揮できなくなって」いたんです**。それが、世代を超えた交流で認められたり、受け入れられたりして、徐々に発揮できるようになっただけなんです。**自分らしさが戻った**んですね。この場合もえんがおがやったのは、もともと素敵な彼を受け入れて信じることだけでした。

成長させようとか、変えようと思ってしまうと、お互い苦しくなります。その人が今もっている力を十分に発揮できる環境にしよう、と考えるとわかりやすいですよね。

一方で、こんな話もあります。

「人が他者に与える影響は、最大で5％」なのだそうです。しかも、神の二の腕をもつゴットドクターとか、人の命を左右する仕事で5％程度なのだとか。

みんなそれぞれ自分の人生です。周りがどんなに頑張っても、結局は本人の「主体性」がないかぎり、変化（成長）は起きません。身も蓋もないですが、本人次第なんです。なので、時には⑨の「環境のせいにする時は声をかける」も必要になってきます。現場にもよると思いますが、数年単位でみていく必要もあります。あるいは、タイミングもあります。だからこそ、大人のやるべきことは**安心して挑戦（失敗）できる環境や、自分を発揮できる環境をつくって、信じること**だけなんです。

もう一つ、身も蓋もない話をします。「若者が集まる」って、ある意味「空間力」が重要になってくるんです。それを言語化してよって話なのですが、言葉では伝わらない、空間のもつ力があります。これはもう、コロナがおさまったらぜひ、そういった場所を見てきてください。そのまんま真似はできなくても、そういう空間を実際に訪れて、体験して、「ああ、こういうことか」と感じることをおすすめします。そして、その中で「自分にできそうなこと」を探して、やってみる。それが一番早いかもしれません。

Part 5

これからの地域づくり

「専門職」の地域における可能性

最後のＰａｒｔです。まずは、普段あんまり語らないようにしている「専門性」について、お話しします。

ここで言う「専門」とは、医療福祉の領域だけではなくて、ＩＴ関係でもカメラやイラストでも、学校の先生でも大工さんでも、「専門性」をもっているすべての人を指しています。あとで掘り下げますが、本当は「専門性」なんて言わなくていいと思っているんです。強いて言うなら、「得意なこと」ですね。僕のもつ専門性のうちの一つは「作業療法士」です。同業種の方も聞いてくれている気がしています。なので、ちょっとだけ、医療福祉に寄せてお話しします。

近年、地域に出ようとする医療専門職が増えています。これまでは、例えば作業療法士だったら病院か施設か、あるいは訪問でした。それが、現場でそういった制度の中だけでは解決できない事例に出会って、**「制度の外で活動したい」**と思う人が増えてきているようです。

かくいう僕も、高齢者施設で勤めている時は、しっかり作業療法士でした。いや、きっとその頃から「変態」ではあったと思いますが、作業療法士として勤務していました。栃木県の「宇都宮市」という、駅前に餃子のエイリアンの銅像が飾ってある街で働いていました。その頃からよく言われていたのは、「在宅復帰」と「介護予防」

でした。

制度の改正もあり、いろいろな施設が「在宅復帰」をより目指すようになりました。「介護予防」の重要性も叫ばれ、いろいろな運動がなされていました。それ自体は、とてもいいことです。その頃、仕事とは別に、後輩たちと一緒に「つむぎ」というグループで活動していた僕は、「高齢者の孤立」をじわじわと目の当たりにしていきます。「つむぎ」は、宇都宮市から1時間ぐらい北に行った「大田原市」で活動していました。

そこで、地域の病院や施設で作業療法や理学療法などの、いわゆる「リハビリ」を受けた人が「在宅復帰」して、僕らと出会うんですね。歩けるようになったので、家に帰ってきた。家の中の動作も練習したから、トイレにも行けるし、お風呂も入れる。ご飯は、バランスの整ったお弁当が毎日届く。

だけど、近所に知り合いがいない。行く場所がない。だから、ずっと家の中にいる。家の中にいるから、筋力が低下する。筋力低下によって、転倒リスクが上がる。転倒して骨折、入院してリハビリを受ける。

リハビリして良くなって、家に帰って、また一人。行く場所がないから筋力低下して、人と会わないから認知機能が低下して……。孤立から始まる、負のループに入っている人がたくさんいます。病院や施設の中で彼らが受けた治療やリハビリでは、根本の解

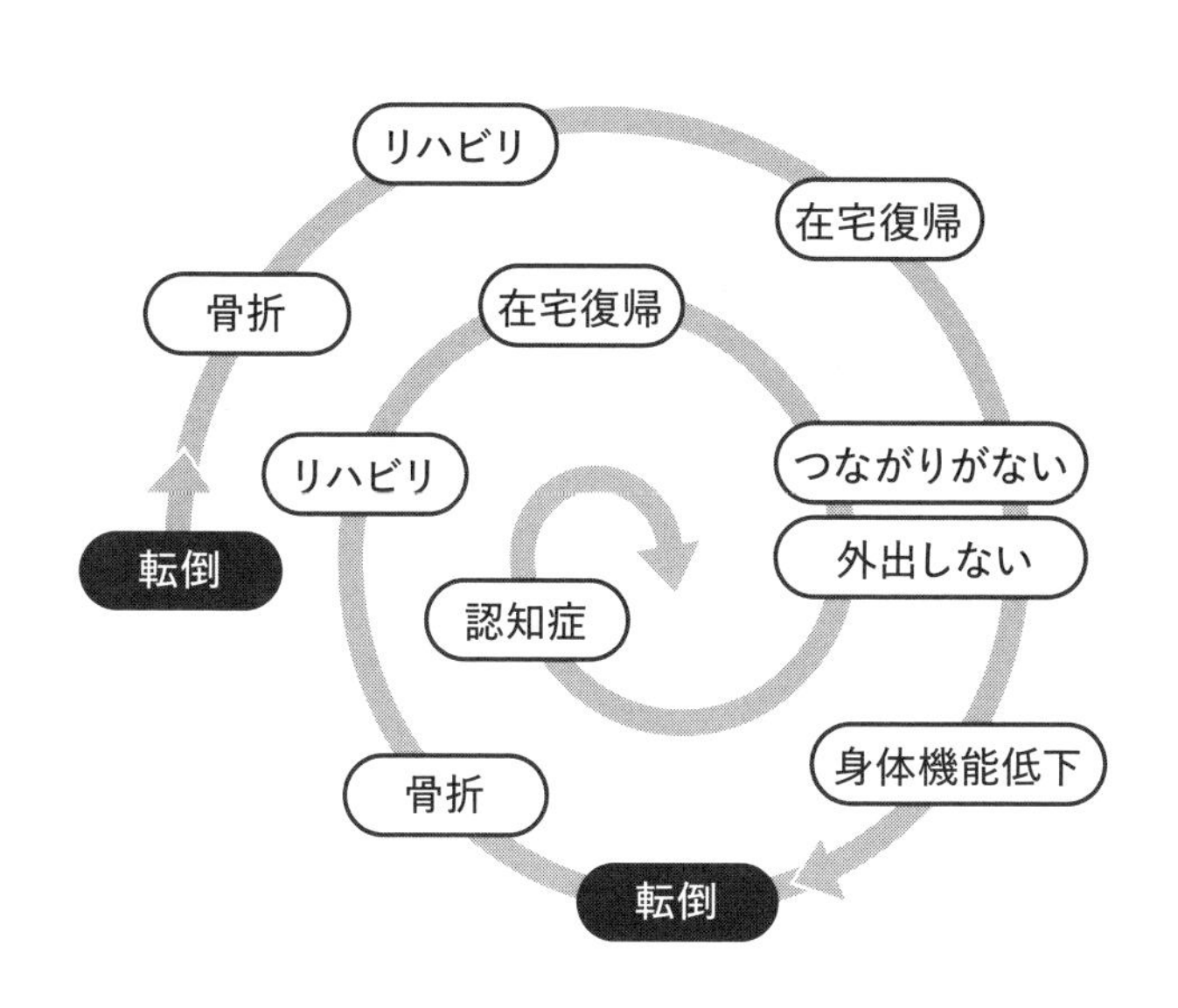

決には至っていないようでした。

先ほど、「在宅復帰」という言葉を使いました。在宅復帰すると、加算（お金）がもらえます。その場合の、制度上の定義は「家に帰る」ことです。でも、家に帰ってても一人ぼっちだったら、どうしましょう。週に一回や二回のデイサービス（日中通う施設）以外は家に一人でいるのでしょうか。それって、本当に「復帰」できていますでしょうか。

「在宅復帰」って、本当は、**家に帰って、その家や地域で「役割」などの生きがいを見つけるまで**を言うんだと思います。でも、制度上そこまでは含まれていない。

本当は、制度の外でも、誰かがその人のもっている能力（残存機能）を考えながら、この人ならこんなことができる、と提案できたらいいですよね。あるいは、「環境因子」と呼ばれる、その人の周囲のいろいろなメリットを生かして、その人が地域で活躍できるように考えられたらいいはずです。

そうすれば、その人は「在宅復帰」をして、家で過ごしながら、地域で役割をもって生きていくことができます。冒頭の繰り返しになりますが、**人にとっての「居場所」とは、「役割」のこと**です。役割があるから、必要とされているから、体の能力は維持されます。逆に、必要とされなければ衰えていくのは当然かもしれません。

平均寿命が今より低い時代も、80歳くらいまで生きている人は確かにいた、という話があります。どんな人かと言うと、大きな役割をもっていた人だそうです。そう。長老さんとかですね。役割がある。必要とされている。だから、それに合わせて体や心も維持されるんです。

さらに、「認知症は、脳の進化」という説を唱える方もいます。役割が失われていくなどして、社会に必要とされていない感覚は、とても孤独で寂しいものです。

そういった寂しさやつらさを忘れ、生きていくために必要なものだけを残すように、脳が加齢に伴って省エネになっていく。そんな説です。あくまでも一つの説ですが、僕はこれを聞いた時、少し納得してしまいました。

だから、「介護予防」は「運動」だけではなくて、**「運動」＋「居場所（役割）」**なんです。そして、その「役割を生み出す」というところには、いろいろな専門職の力が必要になってくると思うんです。えんがおで大事にしている、**人とのつながりが希薄な高齢者を「地域のプレイヤー」に変える**、などの視点には、僕なりの作業療法士としての経験が詰まっています。

作業療法士などのリハビリの専門家が、病院や施設だけではなくて、地域で、当事者の「生活の中にいたら」いいことがありそう。そんなイメージが伝わるでしょうか。もちろん、リハビリ職に限りません。例えば介護職の方々が地域の人と一緒に流しそうめんやバーベキューをやったり、施設の中に子どもの遊び場をつくったり、施設長と利用者さんが同じ布団で寝たり。

全国に視野を広げれば、枠にとらわれずに専門性を発揮している素敵な方々がたくさんいます。もし、自分の視野が狭まってるかもと思う方がいましたら、ぜひ彼らのＳＮＳでの発信を見てみてください。

栃木県の「はいこんちょ」の小林敏志さんや、ＮＰＯ法人福聚会の石綱秀行さん、佐賀県看護小規模多機能「むく」の佐伯美智子さん、Happy Care Life株式会社の中林正太さん、神奈川県の株式会社あおいけあの加藤忠相さんなどなど、あげたらキリがありませんが、みなさん本当にかっこいいです。専門性や業界の壁を壊して、いろいろな改革を起こしている、僕が勝手に尊敬している方々です。

「専門性」が視野を狭めていないか

アンパンマンはヒーローでもあるし、あんパンでもある

専門職が枠にとらわれず、目の前のニーズに向き合えるか。その時に鍵になるのは、「越境」です。境目を越えることです。

作業療法士は、施設や病院で働くべき。作業療法士の仕事の範囲は、ここまで。

介護施設の食事は、施設内で行うべき。そんな**「業界のよくわからない境目」**を、超えていく力が求められます。この辺の話が、少し難しいというか、話しにくいです。なぜかというと。これは本当言いたくないんですが……この話、専門性にこだわりのある人にはあんまり受けがよくないんです（笑）。

ポイントは、**専門性の出し入れ**だと思うんです。

ある日、同業種の方々の中で、「〇〇って医療職のやることなの?」といったような、仕事の範囲の話がありました。僕も言われたことがあります。「それ(えんがお)って、作業療法なの?」と。なんで作業療法士なのに草刈りしてるの、とか。まあ、確かに。せっかく大学4年間通って、医療関係の国家資格取って、日々やっていることは、草刈りやら、たこ焼き屋さんやら、電球交換やら、お茶飲みです。そういう側の気持ちも、十分にわかります。逆に、「えんがおって、まさに作業療法やってるよね!」なんて言ってもらえることもあります。

個人的には、実は、**「どっちでもいい」**んです。それよりも、目の前の人が何を求めているかのほうが大切なんです。もう少し話します。

「専門性」にこだわり続けると、「それはこの職種の仕事ではない」という話になりがちです。病院や施設の中であれば、そうやって、しっかり役割分担した方がいいこともたくさんあると思うので、それ自体は全然否定しません。でも、生活の中だとそうもいきません。例えば、トイレの電球が切れてしまった一人暮らしのおじいさんがいます。体が動かないので、買い物に行けません。高いところの電球も替えられません。制度の使用を申請していますが、制度が使えるようになるまで、もう2週間くらいかかるそうです。仮に、そのおじいさんを前にしたとして、あなたが専門職だったらどうしますか?

「それは私の(職種の)仕事ではないので」と断るでしょうか。断らないですよね。どんな職種でも、電球交換してくれればいいんです。というかこの場合、おじちゃんにとったら、そこにいる人が「専門職かどうか」「作業療法士かどうか」は、どうでもいいんです。「電球交換してくれる人」が必要なんです。

こんな場面が、地域の生活の中にはたくさんあります。つまり、**「必要な場面で」専門性が少し出せれば、それでいいんです。**もっと言えば、作業療法士かどうかなんて、相手には関係ないことの方が多いんです。**そこにこだわっているのは、専門職である僕らだけ**なんです。

そんな単純な話なんですが、意外と伝わらなかったりします。顔ちぎる系ヒーローの彼は、自分がヒーローであることに自惚れず、「自分はアンパンでもある。**ヒーローであることなんて僕の一部だ！**」と広い視野をもっていたから、顔をちぎれたんです。

「専門家でいなきゃいけない」「専門職だから、こうあるべき」。そういう縛りが、意外と視野を狭めていないでしょうか。専門的知識は、視野を広げるためにあります。そして、その**「専門性」は、たくさんある側面の中の、たった一つの側面**です。ぼくは、草も刈れるし、たこ焼きもつくれるし、ちょっとだけ人体に詳しいし、ちょっとだけ環境を活かすのがうまい人です。あるいは、求められた時にはしっかり「作業療法士」になれるように、もっともっと勉強します。

特に医療福祉の専門職は、「越境」の選択肢が少ない気がします。もっともっと、自分のもつ専門性を「いくつかある武器のうちの一つ」と捉えて、それに縛られない専門職が増えていけば、これからの専門職の可能性は広がっていくはずです。

社会的処方について
「人のつながり」を処方するという考え方

ところでみなさん、「社会的処方」ってご存知ですか？　これからまちづくりを進めていく人は、ぜひ一度調べてみてください。西智弘先生の『社会的処方──孤立という病を地域のつながりで治す方法』（学芸出版社、２０２０年）などを読んでみるのもいいと思います。

「社会的処方」の定義はいくつかあるのですが、西智弘先生の言葉をお借りすれば、「病気に対して、『薬』ではなく『人のつながり』を処方する」ことです。そうそう。えんがおは、まさにこの社会的処方をやろうとしているんです。とても大切なテーマなので、事例を交えつつ紹介します。実際に僕らのところに相談があった事例を、少し変えています。

とある60歳の男性は、80代の父親と二人暮らしでした。母はすでに他界しており、頼れる親族は他にいません。家庭は決して裕福ではなく、健康状態もよくはありませんでした。最近、父親も他界し、独居になりました。食事は偏ってしまっています。寂しさからお酒を過度に飲むようになり、近所のお店で「迷惑」と言われてしまうこともあります。行政が介入し、病院を受診。診断としては「アルコール依存症」。糖尿病のリスクも高いそうです。この方には、どんな治療がよいでしょうか。あるいは、どんな薬が効きそうでしょうか。

きっとこの本を読まれているみなさんは、もうお気づきですね。そうなんです。この方に処方すべきなのは、薬ではありません。あるいは、薬も必要なのですが、それだけでは「根本の解決」にはつながっていきません。

この方には、**「人とのつながり」が必要**です。

「社会的処方」の考え方では、薬などの医療と一緒に、地域のサークルなどにつなげることを進めています。そうすることで、そもそもの「寂しい」という、アルコールを過度に飲んでしまう根本の原因を解決（治療）するんですね。

医療だけでは、病は治らない。しっくりきますよね。

ちなみに、社会的処方の考え方の発祥である英国では、そういった地域のサークルやボランティア活動などにつなげる「リンクワーカー」という立場の人がいます。

日本では、そのリンクワーカーを誰が担うのか、というのも、これからのワクワクする課題です。

医療福祉の専門職が地域に出るメリット、ここにも見えてきますね。

コロナ禍の地域づくり

コロナフレイルについて

社会的処方の話は、本当はもっともっと掘り下げてもいい、これからの地域づくりの中心的テーマです。ただ、これは僕よりもたくさんの知識をもつ方々が、すでにいろいろなところでまとめてくださっているので、そちらに任せることにします。

そして、今の時代に欠かせなくなってしまった**「感染対策と地域づくり」**についてお話ししようと思います。

新型コロナウイルスは、みなさんご存知のとおり本当に厄介で、いろいろなものを狭め、なくしていきます。私たちの生活に「つながり」がいかに大切であったか、を思い知らされるきっかけになりました。僕らの元には、主に地域づくりをやられている方々からの葛藤や相談が届きます。そして、高齢者側からの相談も多くあります。

例えば、緊急事態宣言中に70代の一人暮らしの男性から、こんな電話がありました。「社協（社会福祉協議会）からの紹介で（えんがおを）知りました。生きがいだったグラウンドゴルフがなくなって、ずっと家にいます。2週間人と話していません。孤独なんです」

男性の声は、そこまでか細い感じではなかったものの、自らの孤独に危機感を感じているようでした。孤独を感じる方が抱える危機感でよくあるのは、「何かあった時、誰も気づいてくれない」というようなものや、「このままでは認知症になってしまう」などです（認知症になる＝よくないの意識も本当は変えていけたらと思っています）。

また、高齢者の方々と関わる機会が少ないとイメージが湧きにくいかもしれませんが、高齢者の方、特に75歳以上の方は、寂しくても「きっかけがないと家から出ない」ケースが多いです。

おじいちゃん、おばあちゃんは、場所があれば集まるわけではありません。何度も繰り返しになりますが、そこに「役割（居場所）」があるから、痛い膝に鞭を打って、前日から早めに寝て準備をして、なぜか何個もあるカレンダーに入念に予定を書いて、家から出ていきます。

「役割」が、文字通り重い腰をあげる「きっかけ」になっていました。地域の公園で異様なほど早い時間からやっているグラウンドゴルフも、カメハメ派の打ち方を練習しているよくわからない体操の時間も、大切なきっかけになっていたんですね。その家から出るための「きっかけ」が、コロナで軒並みなくなってしまった。そしていろいろな「つながる場」がなくなり、高齢者の孤立はさらに深刻化しました。

さらに、時事通信社の調査によれば、緊急事態宣言以降、要介護（介護の必要性の度合い）の申請率が急増したとの報告もあります。つまり、**緊急事態宣言で地域のつながる場所が休みになり、介護が必要な高齢者が急増**した、ということですね。

こういった問題の深刻さは、「コロナフレイル」とも称され、NHKなどで特集も組まれました。「フレイル」とは、日本老年医学会が2014年に提唱した概念で、主に高齢者に対して、身体的機能や認知機能の低下が見られる状態のことを指すものです。

コロナ禍において、今まであったつながりが分断され、孤立が深刻化している。

結果、孤立の影響として高齢者の心身機能が急激に低下してしまっている。それが、今日本各地で起きています。

ただ、まず抑えておきたいのは、「感染対策」が何よりも大切だということです。いくらつながりが重要でも、やはり感染が起きてしまって、その先の選択肢がなくなってしまっては元も子もないからです。なので、兎にも角にも感染対策が第一。つながりが大切だから、という理由で感染対策が疎かにならないように気をつけなければいけません。

しかし、つながりがないと「フレイル」に陥る。でもつなげると、感染リスクが上がる。だからみんな葛藤するんですよね。僕たちも僕たちで、たくさんの葛藤がありました。先ほど紹介した70代の男性の方のような電話での相談もあるし、現場で見ていても、来年一緒にいられるかわからない方から「ひとりでいるとおかしくなりそうで」と言われることもありました。

そして、実はえんがおでもコロナ陽性者が確認されたんです。学生向けのシェアハウスの入居者でした。結果、シェアハウス同居者1名、発症前に体験にきた別の大学生1名の計3名が陽性でした。当時は、関係機関に夜中まで連絡をとって、濃厚接触者を洗い出して、本当に大変でした。何より、陽性になってしまった人にはつらい役割をもたせてしまいました。幸い、対策も講じて高齢者への感染はありませんでした。

逆に、もう少し対策がゆるくなってしまっていたら、大好きなおじいちゃん、おばあちゃんたちを危険な目に合わせるところでした。そんな経験もあって、コロナと地域づくりについて、何度も何度も考えてきました。

完全回答はありませんが、僕らなりに悩み抜いた考え方はあります。

コロナ禍の地域づくり えんがおの考え方

僕らが大切にしているのは、まず**「時期や段階」**を考えることです。

一貫して「これならいい」といったやり方はありません。今の時期は緊急事態宣言下なのか、宣言はないけど感染者が増えているのか、減っていて落ち着いているのか、周囲の市町村の流れ（傾向）はどうか、などを考えながら、柔軟に方針を決めるようにしています。その上で大切にしているのが**「リスクとどう向き合うか」**と**「選択肢」**に関する考え方です。

例えば、一人暮らしのおばあちゃんが、一人でいるのは寂しいので地域のサロンにお茶飲みに行くとします。すると、たくさんのリスクがあります。転ぶかもしれない。事故にあうかもしれない。サロンで食中毒になるかもしれない。ナンパされるかもしれない。重要な闇取引現場に遭遇して、黒い人に見つかって薬を飲まされて若返るかもしれない。

そもそも、生きてるだけでいろんなリスクがあります。コロナが流行る前からずっとリスクはあったんですよね。生きていく上でのリスクはたくさんあって、リスクを0にしよう、ではなくて、あくまで「共存」なんです。それで重要なのが、何かを「開催する側」、例えば「サロンを開催する側」がやるのは「決めること」ではなくて**「選択肢を提示すること」**です。

転倒に対しては、こんな対策をします。
インフルエンザに対しては、こんな対策をします。
黒ずくめの組織には、こんな対策をします。
新型のウイルスには、こんな対策をします。

「サロンやります。来ますか?」。**ここまでです**。

僕らのサロンにも、以前よく来てくれた近所の方で、国や県の方針でサロンの再開がオッケーになり、再開した際に「まだコロナ怖いから、お休みしてます」という方がいました。普段から少しでも体調が悪いと休んだり、風邪が流行ったりしているときは来ないようにして自分で調整されている方です。その方は、「サロンやります。来ますか?」という問いに対して「行かない」という決断をしました。素敵です。

別のおばあちゃんは「家にいると寂しくてくるしい。どうせあと何十年も生きるわけじゃないんだから、今を大切にしたいの」と、サロンの再開を喜んでいました。

大切なのはここです。**自分の答えは、みんなそれぞれ自分で出せるんです。**

「危ないからやめておこう」「リスクがあるからなしにしよう」と、こちらが何かを決めつけるのではなくて、あくまでも「選択肢を提示する」ことが大切です。主役はあくまでも、「サロンに来る人たち」なんですね。なので、えんがおではお茶飲み場にそういった内容の紙を置いて、一応の署名をいただくことにしました。

すると、おじいちゃん、おばあちゃんはみんな「そんなこと、とっくにわかってるよ〜！」みたいな感じでした。そりゃそうですよね。わかっていないのは僕でした。何十年も生きてきて、そんな当たり前のこと、みんなわかってるんですよね。リスクがあることも知ってて、それで「選択」して生きてるんですよね。

というわけで、再確認する必要があるのは、僕たち運営側です。感染対策を徹底しなきゃいけない中で、どうやって選択肢を増やすのか。その**選択肢の一つひとつの「リスクを共有」できるか。**コロナがあってもなくても、大切なことは変わりません。

ちなみに、僕らの中には、コロナ禍の葛藤でできた新しいサービスがあります。それは**「電話での健康確認サービス」**と**「若者と高齢者の文通」**です。これは無料になります。対面にこだわりたい気持ちが本当はあったのですが、そうも言ってられず、これまで生活支援や世代間交流などでつながってくれた人を対象に、定期的に電話をしています。そしてこれが、意外や意外、すごく喜ばれるんですね。

一人暮らしでつながる機会がなくなってしまった方々は、定期的に誰かが電話してくれるだけでもうれしいみたいです。そこで、健康確認をして、何かあれば必要な機関に情報共有します。家の中のことでも困っていることがあれば、必要に応じて訪問して対応します。

文通は、全国でもいくつかやられている事例があります。僕らは、学生と高齢者で担当を決めて、手紙でのやりとりをしてもらいます。電話のほうが早いけど、家の中に「手紙が届く」「返事を書く」の楽しみができます。高齢者はもちろんですが、地元を離れて一人暮らししている大学生にとっても、同じ喜びがあります。

「感染対策」と「つながりづくり」。どちらかではなく、両立できるように、たくさん葛藤してたくさん工夫していきましょう。

生活の中に選択肢を増やしていく

「選択肢」の話を出しました。これは、僕たちちえんがおがとても大切にしている考え方なので、もう少し詳しく話させてください。

冒頭からずっと、**「高齢者の孤立の予防と解消」**という僕らのミッションを中心に話を進めてきました。その「孤立」って、なんでしょう。ひとりで暮らしていたら孤立でしょうか。もちろん、そんなことはありません。僕が思う**「孤立」の定義は、その状況を「選択しているかどうか」**です。だから選択肢が大切なんですね。

一人暮らしのおじいちゃんがいたとします。このおじいちゃんの日中の過ごし方には、いくつかの選択肢があります。グラウンドゴルフに行ってもいいし、将棋クラブに行ってもいいし、お茶飲み場もある。だけど、今日は疲れたから家でゆっくりテレビを見て過ごしたい。これは、孤立ではありませんよね。これは、「選択」です。

逆に、一人暮らしでやることもなく、行く場所もない。選択肢がなくて、家にひとりでいるしかない。これは、僕からすると「孤立」です。

生活の中に「選択肢」があることが大切なんです。その選択肢は、あればあるほどいいです。そして、その**「選択肢を増やす」ことを、僕は「地域づくり」と呼んでいます。**

選択肢が増えることは、そのまま「生きやすい」につながります。私がやっている活動の性質上、どうしても高齢福祉の話が多くなってしまいましたが、例えばＬＧＢＴＱの人や、夫婦別姓を望む人、移民の人。そのほかのいろいろな立場の人にとって、「こうしなきゃいけない」が少なくなっていって、選択肢が増えるだけでいいんです。それがいろいろな人の「生きやすい」につながっていきます。

そのためには、時には若い力が必要だし、時には専門職の人の力が必要だし、時には子どもの、働き世代の、高齢者の、障がいがある方の力が必要です。

いろいろな人が、ほんの少しだけ、今の立場とタイミングの中でできることで、そこに住む人たちの選択肢を増やしていく。そんな動きができたら、きっと日本は、もっともっと生きやすくなります。

選択肢は、つながりで生まれる

「選択肢」は、人と人との「つながり」で生まれていくことを、最近になってやっと気づかせてもらいました。気がつくことができた理由は、僕自身がそうだったからです。

えんがおを始めた時は、どうしていいかもわからず一人で戦っていました。数人の頼れる仲間はいてくれたのですが、みんな後輩だったので、先輩風を吹かせたくてうまく頼れていなかったように思います。

何かノウハウがあったわけでもないし、実績があったわけでもない。あったのは「一生懸命生きた人が、孤立して終わるなんておかしい」「高齢者が幸せじゃない社会じゃ、若者は希望をもって生きられない」という一握りの課題感。そして、「誰かがやらないと変わらない」という、小さな使命感でした。

頼りない自分の中の想いを信じてやってみるものの、失敗ばかり。物めずらしいやり方は反発を買うし、失敗してしまった時の悪い噂は簡単に広まる。初めましての挨拶ですら、冷たい対応をされることもありました。前例のない取り組みで、何が正解かわからず、やってみるしかない。失敗して、頭を下げてまわるだけで一日が終わり、自分が今どこにいるのかがわからなくなる。初めはそんな感じでした。それでも心折れずにいられたのは、「つながり」に恵まれたからでした。

ついてきてくれる仲間も、一緒に活動してくれる学生も、えんがおを応援してくれる人も、僕個人を応援してくれる人も、とにかくつながりに恵まれました。僕自身ができることはとても少ないけれど、この人たちがいるなら、えんがおは大丈夫。あとは自分次第。応援してくれる人たちを見ていて、そんな感覚になりました。

素敵な人たちが応援してくれていて、期待してくれていることがたまらなくうれしくて。その期待に「応えたい」という気持ちが、個人で出せる総量を遥かに超える原動力になって、挑戦し続けることができています。きれいごとになってしまうかもしれませんが、**いろいろな人とのつながりが、ひとりでは絶対に選べない道を選択する、心の原動力**になりました。

物理的にもそうです。ひとりでは出てこない発想や、高齢者領域を飛び越えた挑戦は、多くのつながりがあったからこそ思いつき、挑み、実現できたことです。

人とのつながりがあるから、選択肢が生まれます。そして、その選択肢があるから、孤立せずに生きていけます。

すべての社会課題は、つながりの希薄から生まれる

そうして挑戦を続けてきた中で、もう一つ、とても大切なことに気がつきました。
それは、**社会にある課題のほとんどすべてが「つながりの希薄」から起きている、**
ということです。

例えば「貧困」。昔は貧しくても、近所同士で互いに支え合っていたから、貧困にはならなかったと言われています。とある集落が地震の被害で別々の住宅に住んだ結果、それまで支え合いで普通に生活できていたのに「貧困」になり、生活できなくなってしまった、などの話もあります。家庭の中で、十分にご飯を食べられる経済力がないなら、誰かが代わりにご飯を届けてあげたらいいんです。

「虐待」もそうです。背景はいろいろありますが、「虐待しそうになった」のような話は、子どもを育てている同世代からもよく聞かれます。親側に心の余裕がない時は、誰かが代わりに子どもを支えられる環境があればいいはずです。

貧困や虐待の問題は、よく「どんな家庭環境だったか」とか「児童相談所は何していたんだ」などの部分に視点が当てられます。でも、違います。そういった議論も時には必要ですが、虐待も貧困も、家庭の問題じゃないんです。どこかの組織の問題でもありません。**「社会の問題」**なんです。

一つひとつの社会課題を見ていると、それらの課題は、つながりの希薄から生まれていて、人とのつながりがあれば解決できる方法がたくさんあることがわかります。

さまざまな社会的背景で「つながり」が失われてしまっている昨今。

過去に戻ることはできないけれど、今の時代にあった、そして、それぞれの地域にあったやり方で、「誰もが人とのつながりを感じられる社会」にしていくこと。多くの人が、自分の人生を振り返った時に「これでよかった」と思えること。そういう姿を見て、若い人たちが「生きていくって悪くない」と思うこと。そういう社会の景色は、決して、多くの人に注目されるような、大きな活動から生まれるものではありません。

地方のどこか。誰も気づかないような場所で、人知れず悩み、踏み出して、挑み続ける。何も見えなくなるようなつらい時間があっても、誰にも認めてもらえなくても、自分の中にある何かを信じて進んでいく。そして、共感してくれる一部の人に出会い、励まされる。進んだ先でまた悩むことも、つらくなることもわかっている。だけど、それ以上のものが心にあって、進まずにはいられない。

その繰り返しを見た誰かが、人知れず感化され、別のどこかで同じように踏み出していく。

そんな、小さな場所の、小さな繰り返しと波及の中で、少しずつ。本当に少しずつ、社会が変わるきっかけが生まれていくのだと思います。

エピローグ

Epilogue

えんがおの目指すもの

―見たい景色は、自分たちでつくる

最後になりました。長かったような短かったような。生まれて初めて「本を書く」という経験をさせてもらえて、僕は本当に幸せです。

実は、29歳の目標の一つが「本を書くこと」だったんです。なんとなく、えんがおも5年目になり、自分が30歳になる前に何がしたいかを考えた時に、ふんわりと「本書いてみたいな」と浮かんだわけです。

かと言って、何をすれば「本を書きましょう」となるのかわからず、とりあえず活動頑張ればそのうち誰かが声かけてくれるだろう！と安直に考えていたところに、クリエイツかもがわさんが声をかけてくれました。

そんな、人生初の本の最後には、これから「一般社団法人えんがお」が目指す景色の話をしたいと思います。

これを書いている今は、2021年の8月です。障害福祉事業も必要だ！と思ってから約4か月でグループホームの1棟目を立ち上げ（2021年2月）、ニーズがすごくあることがわかり、その5か月後に2棟目を開設。2棟目もすぐ満室になり、新たに開いた「障害福祉」の分野の方からもいろいろな相談をいただいて、ワクワクしている最中です。

例えば、障がいのある身寄りがない方の「アパートが借りられない問題」。僕も、行政機関の方から相談をいただいて、初めてその問題を知りました。えんがおが間に入り、地域の不動産会社と連携して解決すべく進めています。

それから、貧困・虐待などの問題を抱える家庭の、一時的なシェルターとしての活用。あるいは、グループホームを利用した受け入れ。そういった、制度の隙間の課題に対する解決策としての利用相談が増えてきました。幸い建物はたくさんあるので、必要性に応じて柔軟に応えていきます。

もう一つ、直近で決まっている挑戦は「子ども事業」です。事業の形はまだ確定していないのですが、小規模の託児施設を開設予定です。もちろん、徒歩2分圏内の空き家で。すると、事務所を中心に徒歩2分圏内6軒の空き家には「高齢者サロン」「若者向け勉強スペース」「地域食堂」「シェアオフィス」「ソーシャルシェアハウス」「宿泊所」「障がい者向けグループホーム」「託児所」ができることになります。

そうこうしているうちに、最近は学校が苦手な子が、こんな場所に通いたいという声も聞こえてきました。「フリースクール」や「フリースペース」も必要なようです。

そしたら、えんがおサポーターの学生のうち数名は、実は学校に居場所がない思いを経験していて、その気持ちがわかるのだとか。「フリースクール運営、やってみたいです！」と自分から声を上げてくれています。来年取り組む子ども事業も未知の領域ですが、「もっと子どもも親も幸せになれる環境をつくりたい！」とベテランの保育士さんが声をかけてくれました。「仲間」という最高の資源が、すでに集

えんがおの目指す景色

まりつつあります。

なんでそんなにあっちこっち手を出すんだろう?って思いますよね。僕も思います。でも、「高齢者の孤立」に向き合い続けてわかったのは、**高齢者の孤立は、高齢者とだけ向き合っていても解決できない**、ということです。孤立の問題の根底には、たくさんの課題が詰まっています。その一つひとつと「ニーズ先行型」で向き合うと、自然といろいろなことへの対応が必要になってくるんです。なので、5年目からは法人のミッションを一つ加えました。

「人とのつながりの力で、あらゆる社会課題と向き合う」

ぼくたち一般社団法人えんがおは、人とのつながりの力で、目の前にでてきた声一つひとつに向き合える組織を目指します。これは、言葉だけ聞くととても大変なことのように思えますが、たぶん大丈夫です。課題は多くても、それ以上に「集まる資源」が豊富になります。世代を超えたつながりには、そういう力があるんです。

そうやって、できる範囲で少しだけ無茶をしながら、ごちゃまぜのまちづくりを進めていきます。

子どもが自由に過ごす。保育士さんと、学生やおじいちゃんおばあちゃんがそれを見守る。お父さんお母さんは少しゆっくりお茶飲みして、悩みをおばあちゃんに聞いてもらうのもいいですね。シェアハウスの若者やグループホームの利用者さんがそこに遊びに来て、子どもと一緒に遊んだり、みんなで一緒にご飯を食べたりする。学校が合わなくたって、自分が好きになれなくたって、ごちゃまぜの関係の中で、「自分」を発揮できる。世代や障がいの有無にかかわらず、みんなが「日常的に」、自然に関わり合う空間です。

どうです？　ワクワクしました？

ある日の、あそびに来てくれた子どもとお母さんとおばあちゃん

しますよね。ワクワクする景色、見えますよね。そんな景色、実際に見てみたいですよね。僕もです。

自分が見たい景色を見る方法は、二つあります。一つは自分でつくること。もう一つは、つくっている人を応援すること。どちらも「つくる」です。

僕は、まだまだ心が弱くて、未熟で、失敗を重ねてばかりいます。せっかく集まってきてくれて、応援してくださっている方々にも、自分が思っているようには関われず、後悔や反省を繰り返しています。それでも、僕の周りの環境は、世界一である自信があります。一般社団法人えんがおは、始まった時からずっと、環境に恵まれています。自ら道を切り開いたというよりは、次から次へと必要なものが集まり、道が開かれていって、その道を歩かせてもらっているような感覚です。

この道を歩かせてもらえる幸せを考えれば、これからくるであろう困難や逆風にも、臆せず立ち向かえます。失敗もまだまだするでしょうけど、その度に何かを学んで、みなさんに「助けて」とお願いしていきます。

そうして、周りにいてくれる人たちと一緒に、一日一日を丁寧に生きていこうと思っています。

エピローグⅡ——ゆるすぎる本の増刷に寄せて

2023年12月、ありがたいことにこの本の増刷が決まり、一言加筆させていただきます。

まず、この本のレビューは荒れませんでした。いや〜。よかった！　よい国！　日本！

でも、このゆるすぎる文章を読んで、真面目な方が「あ、本読みました……。ね。あいうのもいいですよね。読みやすいですもんね。うん。まあ……ね？」

みたいな感じで薄ら笑い転がされることは何度かありました。真面目な文章を期待した方には、この場をお借りして、謹んでお詫び申し上げます。確かに、32歳になってこの本を読むと、なんとも言えぬ気持ちになりますし、20代で書いたものなんだ、ということは声を大にして伝えたいです。

「本読みました！　自分も挑戦します！」「勇気もらいました！」みたいな人もたくさんいて、本当に何十人も声をかけてくれました。ありがとうございます。僕もみなさんに勇気をもらって、本が出た後の数年を走ってこられました。

ここでは、せっかくなのでエピローグで爽やかに語った「目指す景色」の答え合わせをしたいと思います。

結論から言うと「学童保育（託児所）」と「フリースクール（不登校生支援）」と「居住支援（アパートが借りられない人へのサポート）」を開設しました。

順に話します。まず2年間で活用する空き家が2軒増えました。なので、今は徒歩2分圏内に8軒の空き家を活用しています。8軒目は、実は少し遠いので、えんがおに来ている中学生たちに「何があっても2分以内にあの家に着きたまえ」と伝えて、息を切らした学生がギリギリ着けています。2分圏内です。

この2軒で何をしているかというと、グループホームの増設（3棟目）と、「学童保育事業」を始めました。実際に小学生の子どもたちが毎日集まるようになり、えんがおのサロンにお菓子を買いに来たり、おじいちゃん、おばあちゃんと食事したりしています。

「フリースクール」はサロンの一角で始めて、定期的に来る不登校生もずいぶん増えました。放課後になると、えんがおでは、学校に行っている子と行っていない子と行ってた人と行ってなかった人が、みんなで遊んでます。最高でしょ？

また、徒歩2分のエリア内にあるアパートを、3部屋借りました。「住む場所がない」と途方に暮れている高齢者を受け入れています。

ここまで話すと、2年ちょっとですごい進化だ！と思っていただけるでしょうか。もちろん、そんなことはないので、白状します。

居住支援では、入居時の審査を僕がしっかりやらなかった結果、ある方に「家賃を払う義務はない！」と言い切られて出て行かれてしまい、10万円くらいの損金を出してしまいました。電球交換1回500円でやってくれている生活支援の現場担当の副代表が、今そこで僕を睨んでいます。真面目な話、被害的に感じてしまう疾患の方をしっかり受け止めて幸せにできなかった、ということです。

学童保育では、初年度なので制度事業ではなく自費事業扱いとなり（詳細は会った時に聞いてください）、立ち上げのために1000万円の借入をしました。そして、なんやかんやでお金が厳しくなり500万円も借りました。「誰もあなたのことなんか応援していない」と1時間ほどお話いただいたり、「子どもの声がうるさい」とクレームを受けたりもしました。

その他、とんでもなくたくさんのトラブルや失敗をしています。大きなものは、ここでは書けないレベルです。

ああ。なんか書いていて憂鬱な気持ちになってきた……。

いいこともちろんあります。事業規模は約7000万円になり、より多くの雇用をうむことができました。事情を抱える人も積極的に雇用しています。

2023年度には、内閣官房孤独孤立対策室の事業を受託し、全国のこうした「居場所づくり」「つながりづくり」をやりたい人たちのプラットフォームの構築や、それに特化した創業支援を進めています。Facebookのグループ「全国居場所づくり（孤独・孤立対策）ネットワーク」は半年間で1300人をこえる人たちが登録しました。全国にこんなにも同じ志をもっている仲間がいるのか！！！と、すごくうれしい気持ちでいます。誰でも参加可能ですので、ぜひ検索して参加してください。

会社は7年目になり、関わる人が増えました。わかったことは、規模が大きくなるほど悩みは増えるんだな、ということです。そして、それを乗り越えるには「自分にとっての幸せとは何か」「どう生きたいか」などの、自分にとっての「哲学」が大切なんだと学びました。

いろいろ書きましたが、現場、正直めちゃくちゃ楽しいです。「何をすべきか」は出会いの中で見えてきます。その中には、いいことばかりじゃないけど、それが人生なんだ、というメッセージとともに、たくさんの人の笑顔がありました。

目の前の人を笑顔にすること。目の前のニーズに応え続けること。そのために、まずは何よりも自分を笑顔にすること。

相変わらずドタバタしておりますが、増刷した後も、みなさんにお会いできることを楽しみにしております。

おわりに

あるあるになりますが、やっぱり「おわりに」になると、感謝を言いたくなりますね。

いつも、一般社団法人えんがおを応援してくれるみなさま。まだまだ未熟な僕を支えてくださる方。関わってくれる学生のみんな。そして、スタッフの門間大輝と小林千恵。感謝してもしきれません。これからもたくさんダメなところを見せますが、一緒に楽しみましょう。

田島英二さん、菅田亮さんをはじめとする、クリエイツかもがわのみなさま。田島さんにつなげてくださった糸山智栄さん。出版会議に参加してくれた国府田恵美子さん。好きかってやらせていただいて、本当にありがとうございました。

そして、この本をここまで読んでくれたあなたへ。

あなたはきっと、何かモヤモヤすることに出会っていたり、悲しいニュースを見て心を痛めたりして、現状に違和感を感じている人だと思います。そして、何かしらの「見たい景色」があるのだと思います。

この本の、どこか一文でも、一言でも。そんなあなたの「一歩」の背中を支えられたらうれしいです。

大丈夫です。きっと大丈夫です。

見たい景色は、必ず見られます。必ず全部うまくいきます。そして、僕らは、社会を変えられます。

夢への道中も、一緒に楽しみましょう。お会いできる日を、楽しみにしています。

2021年10月

濱野将行

〔著者プロフィール〕

濱野将行（はまの まさゆき）

1991年栃木県矢板市生まれ。国際医療福祉大学保健医療学部作業療法学科卒。

大学在学中から東日本大震災支援活動や海外ボランティアに従事。

大学卒業後、介護老人保健施設で勤務。25歳の時に一般社団法人えんがおを設立。

第5回iDEA NEXT グランプリ、第二回とちぎ次世代の力大賞「大賞」、第十回地域再生大賞「関東甲信越ブロック賞」。

一般社団法人えんがお
〒324-0051 栃木県大田原市山の手2-14-2
TEL. 0287-33-9110
HP. https://www.engawa-smile.org/

 @engao2525  @engaogram

ごちゃまぜで社会は変えられる
地域づくりとビジネスの話

2021年12月12日　初版発行
2024年 2 月10日　第 2 版発行

著　者●ⓒ濱野将行
発行者●田島英二　info@creates-k.co.jp
発行所●株式会社 クリエイツかもがわ
〒601-8382 京都市南区吉祥院石原上川原町21
電話 075(661)5741　FAX 075(693)6605
http://www.creates-k.co.jp
郵便振替　00990-7-150584
デザイン●菅田　亮
印 刷 所●モリモト印刷株式会社
ISBN978-4-86342-320-6 C0036　printed in japan

発達障害児者の“働く”を支える　保護者・専門家によるライフ・キャリア支援

松為信雄／監修　宇野京子／編著

ウェルビーイングな「生き方」って？　生きづらさを抱える人たちが、よりよい人生を歩むための「働く」を考える。「見通し」をもって、ライフキャリアを描けるように、ジョブコーチやキャリアカウンセラー、研究者や教員、作業療法士、保護者・当事者などさまざまな立場の執筆陣が、事例や経験、生き方や想いを具体的に記す。　2420円

私が私として、私らしく生きる、暮らす

知的・精神障がい者シェアハウス「アイリブとちぎ」　河合明子・日高愛／編著

栃木県のごくごく普通の住宅街にある空き家を活用したシェアハウス。元キャリアコンサルタントと作業療法士の異色コンビがお金を使わず知恵を使う、誰もが使いやすい環境整備、対話のある暮らしやポジティブフィードバック……。障害をかかえた彼女・彼らが主人公で、あたり前に地域で暮らすためのヒントが満載。　2200円

ヤングでは終わらないヤングケアラー

きょうだいヤングケアラーのライフステージと葛藤　仲田海人・木村諭志／編著

閉じられそうな未来を拓く――ヤングケアラー経験者で作業療法士、看護師になった立場から作業療法や環境調整、メンタルヘルスの視点、看護や精神分析、家族支援の視点を踏まえつつ、ヤングケアラーの現状とこれからについて分析・支援方策を提言。2200円

子ども・若者ケアラーの声からはじまる　ヤングケアラー支援の課題

斎藤真緒・濱島淑恵・松本理沙・公益財団法人京都市ユースサービス協会／編

事例検討会で明らかになった当事者の声。子ども・若者ケアラーによる生きた経験の多様性、その価値と困難とは何か。必要な情報やサポートを確実に得られる社会への転換を、現状と課題、実態調査から研究者、支援者らとともに考察する。

2200円

当事者主動サービスで学ぶピアサポート

飯野雄治・ピアスタッフネットワーク／訳・編

アメリカ合衆国の厚生労働省・精神障害部局（SAMHA）が作成したプログラムを日本の制度や現状に沿うよう加筆・編集。6つの領域で学ぶピアサポートプログラムのバイブル。障害福祉サービス、当時社会や家族会をはじめとした、支える活動すべての運営に活用できる。　3300円

「届けたい教育を」みんなに　続・学校に作業療法を

仲間知穂・こどもセンターゆいまわる／編著

沖縄発「学校作業療法」が日本の教育を変える！
子どもや教員が感じる問題、願いを形にする「学校作業療法」実践とは、①社会につながる教育の実現。②教員一人が抱え込まない学級づくり。③教員が健康であることを実現する！　3080円

学校に作業療法を

3刷

「届けたい教育」でつなぐ学校・家庭・地域

仲間知穂・こども相談支援センターゆいまわる／編著

作業療法士・先生・保護者がチームで「子どもに届けたい教育」を話し合い、協働することで、子どもたちが元気になり、教室、学校が変わる。　2420円